« QUE SAIS-JE ? »

LE POINT DES CONNAISSANCES ACTUELLES

N° 1006

L'OPÉRETTE

par

José BRUYR

Critique musical

PRESSES UNIVERSITAIRES DE FRANCE

108, BOULEVARD SAINT-GERMAIN, PARIS

—

1962

OUVRAGES DE TECHNIQUE MUSICALE
PUBLIÉS AVEC LE CONCOURS DE NORBERT DUFOURCQ

Professeur d'Histoire de Musique
au Conservatoire National Supérieur de Musique

———

Louis AUBERT et Marcel LANDOWSKI. — *L'orchestre.*
Norbert DUFOURCQ. — *L'orgue.*
— *Le clavecin.*
René DUMESNIL. — *L'Opéra et l'Opéra-comique.*
André HODEIR. — *La musique étrangère contemporaine.*
Charles KOECHLIN. — *Les instruments à vent.*
Paul LOCARD. — *Le piano.*
Armand MACHABEY. — *La notation musicale.*
— *La musicologie.*
Lucien MALSON. — *Les maîtres du jazz.*
Marc PINCHERLE. — *Les instruments du quatuor.*
Félix RAUGEL. — *Le chant choral.*
Evelyn REUTER. — *La mélodie et le lied.*
Claude ROSTAND. — *La musique française contemporaine.*
André HODEIR. — *Les formes de la musique.*
José SUBIRA. — *La musique espagnole.*
Jean VIGUÉ en Jean GERGELY. — *La musique hongroise.*
Bernard GAGNEPAIN. — *La musique française du Moyen Age et de la Renaissance.*
Jean-François PAILLARD. — *La musique française classique.*
Claude ROSTAND. — *La musique allemande.*

DÉPOT LÉGAL
1re édition .. .. .. 3e trimestre 1962

TOUS DROITS
de traduction, de reproduction et d'adaptation
réservés pour tous pays
© 1962, *Presses Universitaires de France*

INTRODUCTION

Il n'est grande et petite musique;
il n'en est que bonne et que mauvaise.
(R. Schumann
et E. Chabrier.)

Le rire est le propre de l'homme. Le sourire aussi. Or l'opérette est le rire de la musique qui est humaine. Son rire. Son sourire.

Il est toujours des mélomanes pour qui la musique ne se peut entendre que la tête entre les mains et chez qui l'opérette n'amène que sourire pincé : opérette = musiquette. N'aurait-elle pourtant que trois œuvres à son actif — *La Belle Hélène, La Fille de Mme Angot* et *Véronique* —, n'en aurait-elle même qu'une seule — *L'Etoile* — qu'elle justifierait encore le désir d'en savoir davantage. Ce sont là un, deux, trois chefs-d'œuvre ; c'est là un chef-d'œuvre et, entre tous, français : l'opérette appartient d'abord au peuple le plus spirituel de la terre. « En l'art de composer des chansons, dit J.-J. Rousseau dans son *Dictionnaire de Musique*, les Français l'emportent sur toute l'Europe, sinon pour le tour et la mélodie des airs au moins pour le sel, la grâce et la finesse des paroles, quoique pour l'ordinaire l'esprit et la satire s'y retrouvent mieux encore que le sentiment et la volupté. »

A côté de l'Opérette française n'en existent pas moins une Opérette viennoise, qui d'ailleurs naquit d'elle et, dernière venue, une Opérette américaine. D'où la division même de ce petit ouvrage en trois chapitres majeurs.

D'autres en annexe les suivent, consacrés à

l'Opérette en Allemagne et en Angleterre, en Italie
et en Espagne, à l'Opérette d'autre part : ignorante
des frontières, l'Opérette est universelle.

DÉFINITIONS ET ORIGINES

I. — La leçon des dictionnaires

1. Des dictionnaires du langage d'abord.

Du *Dictionnaire de la Langue française* de Littré
(1863) :

Opérette *(o-pé-rè-t')* s. f. 1º Mot qui a passé de la langue
allemande dans le français et par lequel on désigne de petits
opéras sans importance par rapport à l'art (Fétis. La Musique.
Dictionnaire) ; 2º Aujourd'hui très généralement employé
pour désigner les ouvrages joués sur plusieurs petits théâtres
ou dans les salons. Etym. : dimunitif opéra, attribué à Mozart.

Du *Dictionnaire Larousse* (1865) :

Opérette, s. f. *(o-pé-rè-te)*, dim. opéra. Théâtre. Petit
opéra-comique comme on en joue dans les petits théâtres
et dans les salons. Composer, jouer une opérette. — Quelques-
uns disent *operetta*, pl. opérette, à l'italienne.

Du *Dictionnaire de l'Académie française* (1878
et 1935) :

Opérette, s. f. Petit opéra-comique.« Ce musicien n'est encore
connu que par d'agréables opérettes. »
Opérette, n. f. Composition dramatique dont l'action est
gaie ou comique et la musique légère. « Livret, musique
d'opérette. »« Jouer, chanter l'opérette. »

Du *Dictionnaire général de la Langue française*
de A. Harfeld et de A. Darmesteter (1890) :

Opérette *(o-pe-ret')* s. f. Etym. emprunté à l'allemand
opérette qui est lui-même pris de l'italien *operetta*, dim. de
opéra. Néol. admis Académie, 1878. — Petit opéra-comique
du genre bouffe.

Du *Dictionnaire alphabétique et analogique de
la Langue française* Paul Robert (1959) :

Opérette, n. f. (1838) empr. à l'allemand opérette, mot qui
aurait été créé par Mozart d'après l'it. *operetta*. Pièce op.-com.

dont le sujet et le style léger et facile sont empruntés à la comédie. — « Parce qu'il chantait juste, on l'avait accueilli dans une société locale qui jouait des opérettes à la mode : *Les Cloches de Corneville, Les Mousquetaires au Couvent, La Fille de Mme Angot* » (MAUROIS, *Mémoires*, I, 1).

2. Des dictionnaires de musique ensuite.

Le mot opérette n'est point à chercher au *Dictionnaire de Musique* de Brossard (1703) ni en celui de Jean-Jacques Rousseau (1768).

Du *Dictionnaire de Musique moderne* par M. Castil-Blaze (1825) :

Opérette, s. f. Mot qui, dit-on, a été forgé par Mozart pour désigner ces avortons dramatiques, ces compositions en miniature dans lesquelles on ne trouve que de froides chansons et des couplets de vaudeville. *Le Chasseur et la Laitière, Le Secret, L'Opéra-Comique, Les Petits Savoyards*, etc., sont des opérettes. Mozart disait qu'un musicien bien constitué pouvait composer deux ou trois ouvrages de cette force entre son déjeuné et son dîné.

Du *Dictionnaire de Musique* par Escudier fr. (1844 et 1872).

Opérette. Mot qui, dit-on, a été forgé par Mozart pour désigner les compositions en miniature dans lesquelles on ne trouve que chansons et couplets de vaudeville.

Du *Dictionnaire pratique et historique de la Musique* par Michel Brenet (1926) :

Opérette. L'O. buffa et l'O.-comique ont parfois été nommés opérette au XVIIIe siècle. Ce dernier a pris aussi à l'occasion le nom d'O. bouffon. C'est en ce dernier sens que le terme O. bouffe a prévalu, depuis 1855, avec Offenbach et Hervé. L'opérette moderne est le dérivé de l'ancien O.-comique où la musique retourne à la simplicité de la musique empruntée. Il a comme division l'opérette bouffe qui représente le dernier degré musical du genre, guère au-dessus du vaudeville.

Du *Larousse de la Musique* (1957).

Opérette, genre dérivé de l'opéra buffa qui prend naissance et se développe au cours du XIXe siècle.

Le *Dictionary of Music and Musicians* (1875 et 1953) n'use du mot « operetta » qu'à l'article Offenbach. Il dit autre part :

Auber except in the serious and progressive *Masaniello* continued the traditions of the opera comique which in it's still lighter form of opera bouffe culminates in the works of Offenbach.

Le *Musik Lexikon* de Hugo Riemann (1929) :

Operette. Ursprunglich kleine Oper d.h. entweder eine Oper von kurze Dauer oder eine Oper im kleinen Genre d.h. eine komische Oper oder ein Singspiel in welchem Gesang und gesprochener Dialog wechseln.

Le *Dizionario Ricordi della Musica e dei Musicisti* (1959).

Operetta. Termine usato nel sec. XVIII per indicare un' opera breve ma che nei sec. XIX e XX venne a indicare particolarmente un' azione teatrale di carattere leggero e sentimentale in stile popolare con dialoghi parlati, pezzi cantati, balli ecc nella quale lo storzo dell' allestimento scenico ha grande importanza.

II. — La leçon de l'histoire

Il n'y a de neuf en Histoire que ce qui a suffisamment vieilli. Pour le vieux Guillaume de Machaut déjà (1300 ?-1377), lequel « n'a cure de mélancolie », la musique...

                                   ... est une science
                Qui veuct qu'on rie et chante et danse,

ce dont, avant lui, le vieil Adam de La Halle (1230-1288 ?), avait déjà fait la preuve en *Robin et Marion*, œuvre qui en serait bien avant l'heure ou le mot, et d'aussi loin qu'on voudra, un opéra-comique voire une opérette. Cependant, il en est au moins deux autres qui, bien plus proches de nous, pourraient — et combien mieux — mériter ce nom-là : la *Platée* de Rameau et *La Serva Padrona* de Pergolèse. Encore que créée à l'Opéra,

Platée n'est pas loin de relever de la Foire, tandis que *La Serva Padrona* est un intermède italien. Et avant le mot ou avant l'heure, l'opérette, entre l'un et l'autre, pourrait trouver deux de ses plus lointains répondants.

1. **Les spectacles de la Foire.** — Dès la fin du XVIIe siècle, deux Foires parisiennes, celle de Saint-Germain et celle de Saint-Laurent voient installer chez elles des tréteaux où, sous le nom d'opéra-comique — comique du fait qu'elles moquent l'opéra ou peut-être dans le sens d' « opéra comédie » au même titre que *Le Roman comique* de Scarron — se jouent « de petites pièces mêlées de chants, de danses et de symphonies ». Ce dont l'Opéra prend ombrage, et les Comédiens français aussi bien, l'Opéra parce qu'on y chante, les Comédiens parce qu'on y parle. Ainsi y faudra-t-il prévoir entre deux procès, deux interdictions, deux expulsions, deux démolitions même, des acteurs « gestueux » au nombre de deux seulement, voire d'un seul, ces acteurs parlant sans parler et ne chantant qu'en faisant chanter les autres : ne sont-ce point-là, fort exactement, les conditions auxquelles furent soumises les opérettes d'Offenbach ?

Soit, nous sommes encore loin de celles-ci. Mais déjà on peut déceler bien des éléments communs entre l'opérette future et ces spectacles de la Foire, au nombre desquels il faut citer le *Scaramouche scrupuleux* de Fuselier (1711), l'*Arlequin, roi de Serendib* de Lesage (1713), le *Télémaque* des mêmes auteurs avec musique de Gilliers, qui pourrait bien en être le premier musicien du genre ; *La Chercheuse d'esprit* de Favart enfin (1741), de ce Favart dont Offenbach ressuscitera la femme en l'une de ses opérettes, comme il ressuscitera l'atmosphère de la Foire Saint-Laurent dans une autre.

Entre temps, cependant, un « véritable musicien »
était venu avec *Endriague* (1723) s' « encanailler »
à la Foire en collaborant avec Piron : il s'appelle
Jean-Philippe Rameau (1683-1764). Mais il fera
mieux : pour le Carnaval de 1749, c'est à l'Opéra
qu'il donnera cette *Platée* que nous avons citée déjà
et qui, pour être nommée « ballet bouffon en trois
actes et un prologue » et garder toutes les apparences
du genre sérieux (dieux, chœurs, machines), n'en
est pas moins une véritable opérette. L'auteur ne
cessait d'ailleurs de pousser ses deux collaborateurs
Autreau et Ballot de Sauvot à forcer la drôlerie
de leur livret, au point que Junon dont la jalousie
constitue l'essentiel du sujet s'apparente à l'Eurydice
de l'*Orphée aux Enfers* et à la Belle Hélène. Mais la
musique elle-même verse dans le travesti, la
cocasserie, la parodie. Dans le travesti : le rôle
de la nymphe Platée y est tenu par un homme.
Dans la cocasserie : certaines indications auraient
eu de quoi combler d'aise Erik Satie qui d'ailleurs s'en
attribua plus d'une : « En pédalisant », « En gracieu-
sant ». Dans la parodie enfin : des effets d'orchestre
en annoncent quelques autres ; la flûte imite le
coucou ; à la quarte, le violon et le hautbois imitent
le croassement des grenouilles. Mais quoi ! Les
chœurs leur ont donné l'exemple, dès l'Acte I,
par un « Quoi ? Quoi ? Quoi ? » de batraciens.

Trois ans plus tard, le 1er août 1752, l'Opéra donnait la première d'un intermède. *La Serva Padrona*
ou *La Servante maîtresse* de « certain auteur ultra-
montain du nom de Pergolesse », disait *Le Mercure*.

Un intermède, qu'était-ce ? Une fois de plus à
Jean-Jacques Rousseau de répondre d'après son
Dictionnaire :

Intermède. Pièce de musique (ou de danse) qu'on enserre
à l'Opéra entre les actes d'une grande pièce pour égayer et

reposer en quelque sorte l'esprit du spectateur attristé par le tragique et le tendre souci des grands intérêts.

Intermède, *La Serva Padrona* avait été jouée quatre ans plus tôt au Théâtre Italien sans plus d'incident notable que d'excessif succès. Cette fois, la canicule aidant on peut croire, la cabale y allumait la fameuse Guerre des Lullistes et des Bouffons.

Proche de cette œuvrette, deux autres :

a) *Le Devin du Village*, que Jean-Jacques Rousseau faisait entendre pour la première fois à Fontainebleau devant le Roi et la Cour, le 17 octobre 1752, qu'il appelle « intermède » et pour lequel il a pris *La Servante* en question pour modèle.

b) *Les Troqueurs* qui, pour les paroles, étaient de celui que Voltaire appelait « ce polisson de Vadé » et pour la musique de Dauvergne. Cette opérette — et cette fois on hésite à peine à lui donner ce titre — cette opérette que la Foire représentait le 30 juillet 1753, dont le sujet rappelle quelque peu celui de *Cosi fan tutte* et qui, par le ton, préfigure *La Fille de Mme Angot*, cette opérette est celle dont on fait généralement partir l'opéra-comique français — dont on ferait, plus justement, partir l'opérette.

2. **L'intermède italien (et l'Opéra buffa).** — Cet intermède, il semblerait qu'il ne puisse avoir d'autre inventeur que le petit maître de Jesi, Pergolèse (1710-1736) : le rire éblouissant de sa Serpina impose un climat nouveau à la musique et il suffirait — s'il n'y avait son *Stabat Mater* — à faire oublier ses grands opéras, *Il Prigioniero superbo* compris, à qui cette *Serva Padrona* servait précisément d'intermède. Mais il ne fut pas sans en écrire d'autres, comme *L'Amor fa l'uomo cieco (Nibbio e Nerina)*, qui joua le même rôle pour sa *Salustia* ; comme sa *Contadina astuta* qui le jouait pour son *Adriano in Siria*, à moins que cette der-

nière n'ait été mieux que remaniée par J.-A. Hasse.
Mais en dialecte napolitain, Pergolèse devait encore
écrire *Lo Frato'nnamorato* : en sa verve étourdissante,
en sa volubilité ensoleillée, en sa coulée de lave, le
genre pouvait-il naître autre part qu'au pied du
Vésuve ? D'ailleurs, si cet intermède-là n'est pas de
Pergolèse, il serait de Nicolo Logroscino (1700-1763),
napolitain par la naissance et par la mort.

Bien entendu, il faudrait plusieurs pages de ce
petit livre pour citer seulement les intermèdes
qui emplirent de succès ou de triomphes la seconde
moitié du XVIIIᵉ siècle italien. En voici une demi-
douzaine parmi ceux dont l'audience dépassa leurs
frontières : *La finta Camariera*, de Gaetano Latilla ;
La Zingarra, de Rinaldo di Capua ; *Il Cinese
rimpatriato*, de Selletti ; *Il Paratajo*, de Nicolo
Jomelli ; *Bertoldo in Corte*, de Viscento Ciampi ;
I Viaggiatori, de Leonardo Leo. Et comment n'y
ajouter le spirituel *Il Filosofo di Campagna*, du
Vénitien Baldazare Galuppi (1706-1785), de l'aimable Buranello qui collabora avec Carlo Goldoni et
qui fut parfois considéré, avant Pergolèse, comme
le créateur même du genre ?

Mais ce n'est pas tout : il reste, pour son illustra-
tion, une trilogie de compositeurs, tous trois Napo-
litains, qui vont porter l'opéra buffa à la pointe
de sa perfection : Nicolo Piccini (1728-1800), né à
Naples même ; Giovanni Paisiello (1741-1816), né
à Aversa, proche de Naples ; Domenico Cimarosa
enfin (1749-1801), qui avait eu son berceau à
Tarente, c'est dire en face de Naples même. Piccini
est l'auteur de *La buona Figliuola* et Paisiello
celui de *La Molinara*, deux opéras bouffes qui
connurent les plus durables audiences. Mais le
second est aussi connu pour avoir, après Pergolèse,
écrit une *Serva Padrona* et, avant Rossini, un

Barbiere di Siviglia. Enfin, il pourrait suffire à la gloire du Napolitain qu'est Domenico Cimarosa d'être l'auteur du *Matrimonio segreto* dont l'esprit tient en le chœur conclusif : « O che gioja ! O che piacere ! » Nous sommes, avec lui, tout proches de Mozart, dont *Les Noces de Figaro* sont bien, par plus d'un instant, un opéra bouffe, et *Cosi fan tutte* davantage. D'après quoi la définition que voici, qui est celle de l'*Encyclopédie de la Musique* :

Opéra bouffe (it. : *opera buffa*). Opéra dramatique du genre léger *(Cosi fan tutte)*. À Paris, on étendit l'usage de ce mot jusqu'à désigner par lui le théâtre ou la troupe par laquelle pareille œuvre était représentée (ex. *Les Bouffes Parisiens*, d'Offenbach).

Ce qui nous amènerait d'emblée à l'opérette et au moins discutable de ses créateurs. Mais, en 1856, entre un *Ba ta Clan* et un *Tromb al Cazar* qui sont d'Offenbach lui-même, le directeur des Bouffes qu'il était donnait un *Impresario* d'après le *Schauspieldirector* de Mozart ; et l'année d'après, l'*Il Signor Bruschino* de Rossini.

Car si le maître de l'intermède, c'est le Pergolèse de la *Servante Maîtresse*, le maître de l'opéra bouffe ne peut être que Rossini. Encadré par *L'Italiana in Algeri* (1813) et par la *Gazza Ladra* (1817), ce *Barbiere* est de 1816. Mais avant cette date, celui qui devait devenir le Cygne de Pesaro et qui en est le rossignol avait donné une demi-douzaine de petits actes qu'on peut considérer, eux aussi, comme des opérettes ne disant point leur nom. C'est à savoir : en 1810, *Il Cambiale di Matrimonio* ; en 1811, *L'Equivoco stravagante* ; en 1812, *L'Inganno felice*, *L'Occasione fa il ladro* et *La Scala di Seta* ; en 1813 enfin, le *Signor Bruschino* qui vient d'être cité et qui fut d'abord des plus mal accueillis, mais dont l'Ouverture, en même temps que celle de *L'Echelle de Soie*, avant lui citée, n'est pas loin d'avoir retrouvé aujourd'hui la popularité.

*
* *

Nous venons de présenter Offenbach comme le
véritable inventeur de l'opérette. Tout au plus
Hervé le précéda-t-il de quelques longueurs ou de
quelques actes, ce qu'on verra plus loin et ce que
Henri Lecointe affirme, avec pertinence et pitto-
resque, en son *Histoire des Théâtres de Paris* :
« Offenbach, dit-il, ne fut que l'Améric Vespuce
d'un genre dont Hervé avait été le Christophe
Colomb. » A l'inverse de Vespuce cependant, ce ne
fut pas même Hervé qui l'aurait baptisée (il faut
bien mettre la phrase au conditionnel) : en date
la première opérette ainsi nommée sur affiche
serait la *Madame Mascarille* de Jules Bovery (1856).

Par contre d'Offenbach sans conteste le « texte
classique » qui constitue son parchemin d'origine :

Je me dis alors que l'opéra-comique cessait d'être l'opéra-
comique ; que la musique vraiment bouffe, fine, spirituelle,
que la musique qui vit s'oubliait peu à peu, et que les compositeurs travaillant pour la salle Favart ne faisaient plus que de
petits grands opéras.

Il est, ce texte, de 1855. Mais que jouait-on donc
à la mi-temps de l'autre siècle sur la seconde scène
lyrique française ? *La Fille du Régiment*, de Donizetti (1840), *Les Diamants de la Couronne*, d'Auber
(1841), *Le Val d'Andorre*, d'Halévy (1848). Certes,
ce sont là des opéras-comiques, mais si bien du type
« aimable et facile » qui plaisait à nos pères qu'ils
en sont tout proches d'être des opérettes. Et
Le Caïd, d'Ambroise Thomas (1849) davantage.
Ou *Les Noces de Jeannette*, de Victor Massé (1853).
Ce qui ne met en rien le point final à la liste, puisque aussi bien *Les Dragons de Villars*, d'Aimé
Maillart sont de 1856 et de 1865 *Le Voyage en
Chine*, de François Bazin. Ainsi pourrait-on se
demander de quoi notre jeune réformateur se pou-

vait plaindre en le texte « classique » ci-dessus ?
Mais de *L'Etoile du Nord* de Meyerbeer (1854) qui,
à douze ans près, annonçait *Mignon* (1866) comme,
à neuf ans après, *Mignon* annonçait *Carmen* (1875),
Carmen qui, sur le plateau voué aux dénouements
à heureux hyménées allait mettre une indélébile
tache de sang.

Ainsi l'opérette d'Offenbach, endiguant le flot,
ne prétendait-elle à rien de moins qu'à remonter aux
sources et, pour citer *La Gazette musicale* du temps,
« à creuser plus avant le filon de la vieille gaîté
française ». Saint-Saëns devait parler de l'opérette
comme « d'une fille de l'opéra-comique ayant mal
tourné ». Point. L'opérette est une fille qui, répu-
diant une famille piquée de noblesse, retournait,
cotillon court et souliers plats, à ses roturières
origines. A telle enseigne qu'à ses débuts celle
d'Offenbach n'eut toujours droit, nous l'avons dit,
qu'aux trois ou quatre personnages concédés aux
farceurs de Saint-Germain ou de Saint-Laurent.
En 1857, *Croquefer ou Le Dernier des Paladins*
avait eu le front d'en porter cinq en scène. Les
autorités protestèrent. Offenbach, du cinquième,
fit un malheureux guerrier du nom de Mousse-à-
Mort ayant eu la langue coupée au combat et
aboyant son rôle, ce qui mit les rieurs de son côté.
Et c'est devant pareil rire que les autorités reculè-
rent. Ainsi un peu plus tard, en concédèrent-elles
autant qu'il voulut à ses *Dames de la Halle*. Enfin,
Orphée aux Enfers eut le premier droit à un entracte.

« Une pièce légère avec chant et parlé et qui
finit bien. » Bien, c'est-à-dire par des chansons,
comme en France tout se termine au dire de Figaro :
cette définition — sommaire — de l'opéra-comique,
c'est aussi bien celle de l'opérette. La différence
tient moins encore dans les proportions relatives

données au texte et à la musique (le *Passionnément*
de Messager réduit cette proportion à l'extrême ;
le *Trial by Jury* de Sullivan n'est pas loin de la
supprimer) que dans l'esprit de celle-ci. Bref,
une question de mot, ou tout comme.

Nous en étions à Messager. Rien, certes, n'est
plus proche de sa *Véronique* que ses *P'tites Michu*.
Or ces *P'tites Michu* se disent une opérette tandis
que *Véronique* s'intitule opéra-comique. Mais n'en
étions-nous aussi à Offenbach ? Si ses premiers
ouvrages consentent à être des opérettes — opérette,
Le Violoneux (1855) ; opérette bouffe, *Mesdames de
la Halle* (1858) déjà citées — les suivants, d'*Orphée
aux Enfers* (1858) aux *Brigands* (1869), devaient
s'affirmer des opéras bouffons tandis que tous les
ouvrages de Lecocq — à un seul près et certes,
de tous le plus oubliable : *Casimir* (1879) — sont
bel et bien, d'origine, des opéras-comiques !

Ainsi, tout compte fait, n'y aurait-il qu'Hervé
à appeler ses « petites machines », de *L'Œil crevé*
(1867) au *Petit Faust* (1869), des opérettes, des
opérettes bouffes, réservant au *Compositeur toqué*
le titre de bouffonnerie-opérette, ce qui, en pareil
cas, n'est rien moins que tautologie. Et puisque
nous en sommes à Hervé, citons donc le Major de
sa *Mam'zelle Nitouche* parlant de Floridor : « Il fait,
dit-il, des opérettes, des bouffonneries, des bêtises. »

Mais une bêtise, une fois de plus, peut être de la
musique : on va le prouver ci-après, non toutefois
sans avoir laissé le dernier mot à Claude Terrasse
qui pourrait bien avoir donné la plus valable des
définitions de l'opérette. « L'opéra-comique, dit le
musicien de *Monsieur de La Palisse* sans émettre
le moins du monde une lapalissade, l'opéra-comique
est une comédie en musique tandis que l'opérette
est une pièce musicalement comique. »

Chapitre Premier

L'OPÉRETTE FRANÇAISE

I. — Jacques Offenbach ou l'opérette fête impériale (1855-1870)

Cette fête, en vérité, a connu plus d'un amuseur. Et l'opérette d'alors n'eut point qu'un seul maître. Florimond Ronger dit Hervé et Jacques Offenbach furent, l'un et l'autre, des maîtres-amuseurs.

1. Jacques Offenbach

A) *Les origines et les années d'apprentissage.* — Au commencement du siècle dernier, Judas (ou Isaac) Eberst (ou Eberscht) est chantre à la Synagogue de Cologne. Il est aussi compositeur puisqu'on va jusqu'à lui attribuer un recueil (familial) de chants ou de prières hébraïques pour la fête de Matzoth. Son fils Jacob, qui se disait né en 1821, mais qui aurait vu le jour le 20 juin 1819, devait montrer, dès l'enfance, de si singulières dispositions pour le violon d'abord, que son père lui enseignait, pour le violoncelle ensuite, qu'il découvrait lui-même — et cela sans cesser de s'essayer à la composition — qu'à l'âge de quatorze ans, il était envoyé à Paris après avoir troqué son prénom de Jacob contre celui de Jacques et son patronyme d'Eberst contre celui d'Offenbach, ville du Main passant pour le berceau de sa famille.

Au nom d'un règlement qui en interdisait l'accès à tout étranger, l'Italien Cherubini avait, en 1823, fermé les portes du Conservatoire au jeune Franz Liszt ; il fait mieux que de les entrouvrir au jeune Offenbach, qui se voit inscrit à la classe de Vaslin. Ce qui ne l'empêche de tenir sa partie de violoncelle, le soir, en l'orchestre de l'Opéra-Comique pour y accompagner *Le Pré aux Clercs*, d'Hérold (1832), *Le Chalet*, d'Adam (1834) et *L'Eclair*, d'Halévy (1835), tout cela en ne rêvant qu'à la scène à laquelle il tourne le dos. Vivant, il n'y accèdera que par le truchement de quatre échecs : *Barkouf* (1861), *Robinson*

Crusoé (1867), *Vert-Vert* ou mieux *Ver-Vert* (1869) et *Fantasio* (1876) ; mort par contre, il y régnera triomphalement par ses *Contes d'Hoffmann* lesquels, disait un chroniqueur de la première, ne pouvaient que devenir les Contes des mille et une représentations : elles dépassaient huit cents en 1950. Il est vrai qu'en 1901, le second Théâtre lyrique français avait fait un sort à son *Violoneux* ; à son *Mariage aux Lanternes*, en 1919 ; à ses *Bavards*, en 1924 ; à ses *Brigands*, en 1931 ; à ses *Dames de La Halle*, en 1940 ; et qu'il accueillit même trois fois — en 1858, en 1900 et en 1943 — ses *Deux Aveugles* qui sont de 1855.

Quittant le Conservatoire après trois ans d'études mais sans aucune récompense, c'est presque en *self made man* qu'Offenbach entreprend alors une double carrière de virtuose un peu fantaisiste et de compositeur en marge. Tout en même temps que diverses pièces de salon pour le violoncelle (*Scènes espagnoles*, *Chants du Crépuscule*, *Fables de La Fontaine*, etc.), c'est à celui-ci que nous devons un *Pascal et Chambord*, joué au Palais-Royal en 1839 et un *Pepito*, donné aux Variétés en 1853. C'est là son double début à la scène. Il est doublement sans éclat.

En 1850, son amitié avec Arsène Houssaye le fait accéder de façon quelque peu imprévue au pupitre de la Comédie-Française. Il y mettra son talent au service des nouveautés-maison, *Bonhomme Jadis*, de Mürger ou *Chandelier*, de Musset. De la première de ces musiques de scène, rien ne subsiste qu'on sache ; par contre, la Chanson de la seconde qu'on a pu dire « la plus exquise des chansons du siècle » nous vaudra plus tard, en 1860, *La Chanson de Fortunio*, exquise opérette.

Jusqu'en 1855, Offenbach ronge cependant son frein. C'est en 1855 seulement que deux occasions se présentent à lui de prendre le départ. Il les saisit l'une et l'autre presque en même temps.

B) *Le premier triomphe et ses suites*. — L'occasion n° 1 — la petite — c'est le 26 juin 1855, aux Folies-Nouvelles (qui est le fief d'Hervé comme on le verra bientôt), la création de *Oyayaye ou La Reine des Iles*, « anthropophagie musicale » dont le titre et le sous-titre disent également l'esprit.

La grande occasion — le grand coup — c'est le 5 juillet, dix jours plus tard, l'ouverture d'un théâtricule à lui, installé en trois semaines, en un pavi-

lon de prestidigitateur du Carré Marigny, à la porte
même de l'Exposition par laquelle l'Empire, qui
est de la veille, prétend s'affirmer. Cette ouverture
se fait avec une bouffonnerie en un acte, *Les Deux
Aveugles* constituant un triomphe du plus aveu-
glant éclat : Offenbach vient de s'assurer, ou tout
comme, son premier librettiste : il a nom Jules
Moinaux, est l'auteur des *Tribunaux Comiques* et
le père de Courteline. Ce triomphe s'étend de haut
en bas de l'échelle sociale : Patachon et Girafier,
les deux compères de la farce deviennent des
silhouettes du folklore de la rue, tandis que la
Marquise de Las Marismas agrée la dédicace de la
partition, que Napoléon III s'en engoue jusqu'à la
faire entendre aux Tuileries, que l'ex-roi Jérôme
en fera autant, ne lui préférant, un peu plus tard,
que *Tromb al Cazar*, et que le Duc de Morny ira,
un peu plus tard encore, jusqu'à collaborer avec lui
pour *Monsieur Choufleury restera chez lui le …*

Deux autres œuvrettes, *La Nuit blanche* et *Arlequin Barbier* avaient tenu l'affiche avec *Les Deux
Aveugles* et pendant trois ans, une quinzaine d'autres
les devaient suivre, une quinzaine, disons cinq
par an, disons plus d'une par trimestre, soit à ces
Bouffes-Parisiens des Champs-Elysées, soit aux
Bouffes-Parisiens de la salle Choiseul proche les
Boulevards : c'est là qu'après *Le Violoneux*, bre-
tonnerie où le rôle de Reinette marquait les débuts
d'Hortense Schneider, les pluies d'automne ou les
neiges de l'hiver le devaient rabattre. Le dernier
spectacle Champs-Elysées avait été *Ba ta Clan*,
librettiste Halévy ; le premier spectacle Boulevard
devait être *Elodie ou Le Forfait nocturne*, librettiste
Hector Crémieux.

Hector Crémieux (1828-1892) était un employé de ministère
piqué par la tarentule du théâtre, sinon de la poésie : c'est

au nom de cette poésie qu'il se prétendait volontiers le « père
de l'opérette » ! Il devait être le collaborateur d'Offenbach pour
Orphée aux Enfers, pour *Geneviève de Brabant*, pour *La Jolie
Parfumeuse*, pour *La Foire Saint-Laurent*. Il devait finir par
être « l'auteur célèbre » de *L'Abbé Constantin*.

Ludovic Halévy (1834-1908) disait avoir appris l'irrespect
en étant chef de bureau au secrétariat du Duc de Morny.
Il devait, lui aussi, collaborer à *Orphée aux Enfers* et donner, à
Offenbach, les livrets de *La Belle Hélène*, de *La Vie Parisienne*,
de *La Grande Duchesse de Gérolstein*, de *La Périchole*, des
Brigands. Il devait être aussi pour l'Opéra-Comique le libret-
tiste de *Carmen* ; pour la Comédie-Française l'auteur de
Frou Frou et, partout autre part, le romancier des *Petites
Cardinal*. Son talent fait d'observation, d'esprit, de grâce, de
légèreté et de finesse s'accordait à miracle avec celui de ...

Henri Meilhac (1831-1897) fait de fantaisie, d'imprévu,
de cocasserie — et, lui aussi, d'observation. Il devait attacher
son nom à *La Belle Hélène* et à *La Périchole*.

Cependant, après *Le Violoneux*, *Ba ta Clan* et
Elodie, reprenons la liste des principaux succès
d'Offenbach :

1) *Tromb al Cazar* (1856), déjà cité et qui devait
lancer un prestigieux Boléro.

2) *Le Mariage aux Lanternes*, paysannerie tendre,
gracieuse, voire féerique jusqu'en un reflet presque
mozartien et qui devait valoir à Offenbach cette
dédicace signée Rossini : « Au petit Mozart des
Champs-Elysées. »

3) *Les Dames de la Halle*, elles aussi déjà citées,
dont le personnage principal s'appelait d'avance
Ciboulette ; Croûte-au-pot, Beurrefondu et Poire-
tapée peuvent, à elles trois, évoquer d'avance la
figure de Mme Angot. Page à succès : la Fricassée.

C) *Les deux chefs-d'œuvre essentiels* : Orphée aux
Enfers *et* La Belle Hélène. — Le premier, qui
préfigure le second, marque, tout autant que lui,
l'époque : celle-ci descendait, d'après Alphonse
Daudet, « de leur blague et de leur musique ».

Orphée aux Enfers nous est connu sous deux états, celui du 21 octobre 1858, en deux actes et quatre tableaux ; puis la version revue, corrigée et agrandie en quatre actes et douze tableaux qui devait ramener, en 1874, la volage fortune à Offenbach lorsque celle-ci sembla lui être moins fidèle. Sa première forme aurait suffi à accuser l'offense que, depuis bientôt un lustre, le compositeur en marge faisait à l'Opéra ; pas moindre d'ailleurs était l'offense à certaine critique se réclamant de la poésie. C'est en son nom que celle-ci protestait contre le sacrilège envers la sainte Antiquité : le mot est de Jules Janin. A la vérité, l'opérette trouvait dans *Orphée aux Enfers* son premier véritable livret et sa première véritable partition. Le livret n'avait rien pour déplaire à des lettrés. Camille Bellaigue n'a-t-il été jusqu'à dire que le personnage de John Styx n'était pas sans ressembler à l'Achille de l'*Iliade* ? Et quant à la musique, avec son éhonté Evohé-Cancan, elle imposait un rythme nouveau : Mozart n'avait-il pas dit que le rythme était la chose la plus importante en musique ?

La Belle Hélène (1864) appelle d'abord, de son côté, un mot de Saint-Saëns : « C'est de la transplantation d'Offenbach aux Variétés que date le vertige de l'opérette (et la débâcle du goût). Quand *La Belle Hélène* parut, Paris devint ivre et on vit tourner toutes les têtes. » Elle aussi froissait l'admiration et les croyances d'artiste de Théophile Gautier, tandis que Banville la jugeait « de haine judaïque contre la Grèce des temples de marbre et de lauriers roses » et que Jules Janin renchérissait de quelques invectives : « Misérable Offenbach ! Perfide Meilhac ! Traître Halévy ! », n'oubliant que la « divine Hortense » ! Il la laissait à Jules Vallès : « Cascade, ma fille, et mène le vieil Homère aux

Quinze-Vingts ! » Car c'est bien avec *La Belle
Hélène* qu'Offenbach voyait son trio constitué :
Hortense-la-divine, Meil et Hal. « En la trinité
que je fais avec ces deux-ci, je suis sans doute
le père, disait-il plaisamment, chacun des deux
autres étant mon fils et plein d'esprit. »

A eux trois, ils en ont, de l'esprit, à revendre.
Virtuoses de l'article de Paris, comme *Le Figaro*
les nomme, ils vont entre les deux dates d'*Orphée*
et de *La Belle Hélène*, c'est-à-dire entre 1858 et 1864,
le prodiguer en vingt-trois actes-succès dont il
faut au moins citer quelques-uns :

1. *Geneviève de Brabant* (1859), avec une Fileuse
qui passa parfois pour pouvoir concurrencer celle
de Mendelssohn ;

2. *La Chanson de Fortunio* (1860), que Meyerbeer
aurait voulu avoir écrite, marquée qu'elle était de
cette délicieuse petite fleur bleue que son auteur
tenait sans doute de son ascendance germanique ;

3. *Monsieur Choufleuri restera chez lui le ...* (1861),
dont l'un des quatre librettistes était donc, sous le
pseudonyme de Saint-Rémy, le frère utérin de
l'Empereur (il obtint de celui-ci, pour le compositeur, la naturalisation française). L'œuvrette se
signale par la plus verveuse parodie du grand opéra
d'alors et par un boléro irrésistible. Elle fut parfois
placée à côté des *Rendez-vous bourgeois*, de Dalayrac,
et du *Maître de Chapelle*, de Paër ;

4. *Les Bavards* (1863) d'après Cervantès et sur un
texte de Charles Nuitter, « petit chef-d'œuvre » que
Saint-Saëns n'avait pas tort d'admirer sans réserves.

Charles Nuitter anagramme de Charles Truinet (1828-1899)
serait, à dire d'expert, Labiche... si Labiche n'existait pas.
Son nom est avant tout venu jusqu'à nous comme librettiste
de *Roméo et Juliette* et comme auteur des arguments de
Coppélia et de *Namouna*.

5. *Lischen et Fritzchen* (1864), où une valse à trois temps eût d'avance suffi : « Je suis Alsacien ; je suis Alsacienne » qu'y chantaient Zulma Bouffar et Désiré.

D) *La tétralogie de l'Exposition 1867 :* Vie Parisienne, Grande Duchesse, Périchole *et* Brigands. —

1. *La Vie Parisienne.* Cette Exposition, c'est *La Vie Parisienne* qui devait l'annoncer. « Pour s'en fourrer jusque-là », le Brésilien plein aux as et les Gondremark, le Baron et la Baronne débarquent, ceux-ci de leur neigeuse Scandinavie, celui-là de ses aurifères pampas. Et ce sera l'immense farandole que, dans un vent de crinolines soulevées mène Métella, petite coquine coiffée d'un de ces bibis qu'on nomme alors des « suivez-moi-jeune-homme ». Ainsi tout Paris la suit-il, et toute l'Europe qui s'amuse follement à cette image grand spectacle de Paris en fête ou en goguette.

2. *La Grande Duchesse de Gérolstein* (1867). Cette Grande Duchesse, c'est l'Exposition elle-même. Toutes grandes, ses portes ou plutôt celle de la plus close des ambassades d'alors s'ouvriront devant ce titre lancé à la volée par Hortense Schneider, laquelle trouve dans cette opérette le plus cynique de ses triomphes. Si Gérolstein n'existait que dans *Les Mystères de Paris* d'Eugène Sue, l'histoire, par contre, ressemblait assez à celle de Catherine II et de Potemkine ; mais elle était aussi bien celle de petites cours allemandes d'alors. « C'est tout à fait ça », s'esclaffe Bismarck (cf. *Le Second Empire* d'Octave Aubry). La page qui sonne la charge est celle du Sabre paternel (et célèbre), tandis que les Conjurés ne sont pas sans se souvenir de la Bénédiction des Poignards meyerbeerienne.

3. *La Périchole* (1868). Brillante, sémillante, pétillante ou mousseuse, la Périchole qui sort du *Carrosse du Saint-Sacrement* et qui parodie le Donizetti de *La Favorite*, tout en raillant sans trop de malice l'hispanisme de l'Impératrice (« Il grandira, car il est espagnol »), *La Périchole* c'est l'Exposition close : elle la remplace.

4. *Les Brigands* (1869). *Les Brigands*, élevant le genre qui avait fait la popularité de leur auteur, constituaient comme « un mariage de raison entre l'opéra bouffe et l'opéra-comique » ce que constituait, tout autant, sinon davantage la presque contemporaine *Princesse de Trébizonde*. Cette *Princesse* : Baden-Baden, juin 1869. Ces *Brigands* : Variétés, décembre, même année. Mais ceux-ci étaient d'une autre actualité. Encore que sympathique comme Hernani, on voyait en Falsacapa le véreux banquier Jecker de l'Expédition du Mexique. Mais c'était aussi et avant tout — ce qui n'était plus l'Exposition, mais la guerre — « le bruit de bottes, de bottes, de bottes » que l'on sait : celles des fameux Carabiniers arrivant toujours trop tard au secours des particuliers. D'autres, à temps, vont les suivre. C'est que la fête est finie. On souffle les lampions. Sedan est à l'horizon qui brûle.

En un siècle, la poussière est retombée que l'Histoire soulève en marchant. Et cela en quoi les contemporains n'entendaient que parade de foire ou farce de tréteaux « avec musique de carnaval ou flonflons en haillons » (Halévy s'en plaignait) peut presque passer aujourd'hui, en usant d'un grand mot de Shakespeare, pour « la brève chronique d'un temps ». Voilà qui est vrai pour les pages les plus significatives de l'œuvre d'Offenbach. Voilà

qui l'est surtout pour *La Vie Parisienne*, que nul
sans doute n'a mieux entendue que F. Ochsé.
« Frivole clair-obscur de l'âme, a-t-il dit. Sensualité
ou nocturne griserie. Plaisir qui n'est pas le bonheur,
et désir qui n'est pas l'amour. » Que Offenbach
soit aujourd'hui un « petit grand musicien », nul
ne le conteste sans doute. C'est que nul, mieux que
lui, n'a été de son temps. Albert Wolff le dit très
bien : « Sa musique a le diable au corps, comme notre
siècle qui marche à toute vapeur ; c'est celle du
mouvement diabolique de notre temps. »

Cependant, à cette opinion sur celui qui fouaillait
volontiers son orchestre en criant : « Chx ! Chx !
Plus fite ! A la fapeur ! », on en peut joindre trois
autres. Celle de Reynaldo Hahn, la plus charmante :
« Sous sa gaîté brille une étincelle divine. » Celle de
Saint-Saëns, la mieux justifiée : « Une grande
fécondité. Le don mélodique. Une harmonie parfois
distinguée. Beaucoup d'esprit et d'invention. Une
extrême habileté théâtrale. C'est plus qu'il n'en
fallait pour réussir. Il réussit. » Celle de Wagner, en
une lettre de 1882 à Félix Mottl, la plus définitive :
« Offenbach sait faire comme le divin Mozart. »

2. Hervé

« Jusqu'à en avoir peur » (l'aveu est de lui),
Offenbach n'avait eu qu'un unique concurrent :
Hervé. Cependant si lui, Offenbach, n'était que
musicien — décevant, le seul essai de libretto qu'il
ait tenté : *Péronilla* (1877) — Hervé, en même
temps que compositeur, était entrepreneur de
spectacle, chef d'orchestre, chanteur, metteur en
scène, décorateur, mécanicien quand il le fallait.
Ainsi, mieux que n'importe qui, renoue-t-il avec
ces farceurs des Foires parisiennes qui lui avaient

donné, plus qu'à d'autres, ses premiers modèles.

A) *Les origines*. — Florimond Rongé, dit Hervé, était né le 30 juin 1823, à Houdain, près d'Arras, et il était fils d'une jeune femme née tras los montès et d'un représentant de la maréchaussée. D'où, comme on l'a suggéré, l'abondance en son œuvre de séguedilles et de boléros *(La Belle Espagnole, La fine Fleur de l'Andalousie)* autant que de gendarmes : Gendarme Livarot du *Hussard persécuté*, Gendarme Géromé de *L'Œil crevé*. Orphelin à dix ans. Choriste à Saint-Roch à douze. Elève d'Auber à quinze. A seize, organiste de Bicêtre : c'est pour les aliénés de l'Asile qu'il improvise *L'Ours et le Pacha*, opérette qui prélude au *Compositeur toqué*, celle-ci éminemment autobiographique. Enfin, si à vingt-deux ans il tient le matin les orgues de Saint-Eustache, il n'en fait pas moins le soir le jocrisse dans les théâtres de quartier. Bref, il est déjà le Célestin-Floridor de sa future *Mam'zelle Nitouche*.

B) *Les Opérettes Faubourg*. — Les véritables débuts d'Hervé sont à l'Opéra National qu'Adam avait créé en 1847. En 1848, et avec le fameux fantaisiste Joseph Kelm, il y donnait une fantaisie de sa façon, *Don Quichotte et Sancho Pança*. Ce qui le fait de sept ans (1848-1855) le prédécesseur d'Offenbach, tout comme il sera huit mois avant lui (21 octobre 1854-5 juillet 1855) directeur d'une scène d'à côté. Les Bouffes d'Offenbach avaient été aux Champs-Elysées, puis au Boulevard ; au Faubourg du Temple, ces Folies-Concertantes qui seront les Folies-Nouvelles d'Hervé. A quartier différent, public dissemblable. L'opérette d'Hervé aura d'abord un accent de franchise populaire, populaire ou authentique que l'opérette « fashionable » d'Offenbach ignorera toujours. Ceci dès

La fine Fleur de l'Andalousie déjà citée et qui, sur un slogan de Banville : « C'est ici qu'on oublie, la pâle mélancolie », forme son spectacle d'ouverture.

Entre trois ou quatre douzaines d'actes-folies qu'il prodigue entre 1854 et 1860, Hervé accueille l'*Oyayaye* d'Offenbach et les *Deux Sous de Charbon* de Léo Delibes. Ces petites choses ne pourraient être reprises : elles ne sont pas loin d'être comparables à ces canevas sur lesquels, à la Foire toujours, l'auteur-interprète improvisait d'une imagination jamais à court. Tout y va. « Que d'exubérance, de pasquinades, de billevesées, d'extravagances, d'incohérences, de coq à l'âne, de turlupinades, de contrepetteries, de charentonneries ! » Lui-même se dit l'inventeur « d'un genre loufoque, burlesque, échevelé, endiablé, cocasse, hilare, saugrenu, catapultueux ». Farfelu n'est point encore entré dans le langage. Estuberlu l'est déjà : lui-même en use dans *L'Œil crevé* (Acte III, Scène I). Il est l'homme au rire hénaurme « élevant l'insanité à la hauteur d'une institution publique ».

Tout en ayant, et de fort près, les caractères mêmes de leurs textes, la musique semble un peu sacrifiée en ces œuvrettes de début où le compositeur est poussé aux épaules par l'incessante nécessité de renouveler son affiche. Cependant en deux bonds — et à deux ans de distance — Hervé va à la fois élargir sa manière et s'assurer deux créations au Boulevard : c'est, en 1864, *Les Joueurs de Flûte* aux Variétés ; c'est, en 1866, *Les Chevaliers de la Table ronde* aux Bouffes-Parisiens. *Les Joueurs de Flûte*, « paroles romaines » de Jules Moinaux et « musique gauloise » d'Hervé. Et encore qu'ayant tenu cent soirs, l'œuvre, au dire de Sarcey, avait eu un tort : celui de venir avant *La Belle Hélène*.

C) *Le trio des Grandes Opérettes* : *Œil crevé*,

Chilpéric *et* Petit Faust. — L'heure pourtant
allait sonner où Hervé allait pouvoir s'aligner avec
l'auteur même de cette *Belle Hélène* : à la tétralogie
offenbachienne *(Vie Parisienne, Grande Duchesse,
Périchole et Brigands)* allait s'opposer la trilogie
susdite de *L'Œil crevé*, de *Chilpéric* et du *Petit
Faust*, trilogie « où la fantaisie culbutait la poésie,
où la modernité donnait des crocs-en-jambe à
l'histoire, où le bon sens paraissait folie parmi ces
méli-mélodies où la vieille formule de l'opéra, de
l'opéra-comique, de l'opérette elle-même était exa-
cerbée, fouaillée, tortionnée, convulsionnée, parodiée, bafouée, frelatée, recroquevillée, tarabustée,
tirepillée au point qu'on ignorait si le compositeur
se moquait de nous ou de lui-même ». Et peut-être
n'a-t-on jamais mieux qu'en ces lignes de L. Schneider défini — défini ou décrit — l'art défiant toute
analyse comme toute comparaison d'Hervé.

1. *L'Œil crevé* (1867). Cet *Œil* qui devait d'abord
s'appeler *V'lan dans l'Œil* est une double parodie
du Freischütz et de Guillaume Tell. Elle est em-
preinte, à dire d'expert, d'une délicatesse de cise-
leur que n'aurait pas désavouée Grisar comme
d'une vigueur que n'auraient désavouée Rossini ou
Verdi, le dernier Rossini, s'entend, et le tout premier
Verdi. *Orphée aux Enfers* avait donné un cancan
célèbre. *L'Œil crevé* devait laisser un quadrille
fameux. Quant à l'œuvre elle-même, elle connut
encore une reprise en 1896.

2. *Chilpéric* (1868). Encore que moins bien
accueilli d'abord que *L'Œil crevé* (qui l'avait été
avec transports), *Chilpéric* est, dans le genre,
le chef-d'œuvre de l'auteur. Plus que partout
ailleurs, l'anachronisme est roi. Cette Frédégonde
enlevée à son mari Landri par Chilpéric qui en fait
sa Première Lingère entre son Dr Ricin et son Grand

Légendaire, on ne voudrait pas qu'elle relève de la vérité historique des *Récits mérovingiens* d'Augustin Thierry ; mais sans doute faut-il bien connaître l'histoire pour la trahir avec une aussi plaisante désinvolture ! Et, tout de même, sans doute faut-il connaître la musique pour en tirer si plaisantes allusions : n'y a-t-on décelé des échos de *La Flûte enchantée*, des *Huguenots*, de *Lohengrin*, d'*Hamlet* et de *Sigurd* ? Si l'on se souvient que l'œuvre est de 1868, l'année d'*Hamlet* précisément, mais que *Sigurd* est de 1885, peut-être sera-t-on prêt à faire sien le « Déjà ! » que, d'après Hervé lui-même, Henri II lançait au page lui annonçant Molière ! Enfin, l'interprétation était à la hauteur de l'œuvre, et Hervé y trouvait, pour le rôle de Frédégonde, son Hortense Schneider : la rubénienne Blanche d'Antigny. Le succès, hésitant, nous l'avons dit, s'affirma plus tard au point que Hervé lui-même donna — ce qu'il pourrait bien être le seul à avoir fait ! — une parodie de son œuvre sous le nom de *Chilméric*.

3. *Le Petit Faust* (1869). Cette année 1869 était celle où le *Faust* de Gounod alors vieux de dix ans entrait à l'Opéra. L'œuvre parodiée était donc d'actualité. Parodiée : Marguerite y est courtisée par son professeur de philosophie en une classe qu'elle met sens dessus dessous avant de s'enfuir avec lui au Cabaret du Vergissmeinnicht, le cocher étant « le véritable Apollon de la poésie de l'opérette ». Et c'est cela qui permettait à Hector Crémieux, lequel se disait poète et qui, par exception, se trouvait être le librettiste d'Hervé, de se prétendre « le père du genre ». A la vérité, le côté sentimental de son texte, tout relatif qu'il fût, servait un peu moins bien le « compositeur toqué » que l'outrance débridée de ses livrets personnels. Il n'empêche que l'œuvre

fut, *Mam'zelle Nitouche* exceptée, de toutes ses
œuvres la plus souvent reprise : elle le fut en 1882,
en 1892, en 1897. On y retrouva deux pages parmi
ses meilleures : « La Valse des Marguerites » et « La
Ballade (méphistophélesque) des Quatre Saisons ».

« Etant son propre librettiste comme Wagner,
devait dire E. Tarbé, Hervé est comme lui un
incompris. » « Cet incompris, ajoutait V. Joncières,
est un musicien remarquable qui eût été fort
capable d'écrire des œuvres sérieuses. »

A ces deux citations, on en peut ajouter deux
autres, l'une d'un poète authentique, Théodore de
Banville : « Hervé est un faux pitre ayant rivé
lui-même la chaîne qui l'attache à la poésie ; cette
chaîne a une perle pour boulet » ; l'autre, d'un
musicographe dont on ne peut discuter l'autorité,
Hugo Riemann : « Hervé est le père de l'opérette
française. »

Les autres

Restent, après Hervé et Offenbach, les petits, les obscurs,
les sans-grades, qu'il faut — et qu'il faudra — pour écrire une
page de petite histoire musicale. A la tête de ceux-ci, avec en
sa giberne un bâton de maréchal, Charles Lecocq, qui, après un
Docteur Miracle le mettant en compétition avec Bizet (voir
ci-après) n'en est encore qu'à écrire un *Cabaret de Ramponneau* (1867) et une *Fleur de Thé* (1868). Mais cette dernière
opérette, marquant ses débuts véritables, vaut qu'on s'y
arrête.

En ce temps-là, le banquier Bischoffheim avait bâti en sous-
sol de la rue Scribe, le Théâtre de l'Athénée, voué à la musique
légère et où le jeune Ch. Lecocq était directeur des études.
Avec son couplet devenu d'emblée presque rengaine « Je suis
clairvoyant comme un sphynx », avec ses mandarins à boules
de zinc, avec ses noms-onomatopées (Tou Fou, Li Ka-o-lin,
ces deux personnages interprétés par Désiré et Léonce) qui
pourront nous rappeler d'autres onomatopées, celles de *L'Enfant et les Sortilèges* ; avec aussi certaine finesse de couleur
locale que pareilles œuvres avaient ignorées jusqu'alors,
Fleur de Thé, créé en 1868 devait être repris en 1869 et passer

aux Variétés l'année suivante. D'emblée, rien ne devait manquer à sa gloire pas même un article des *Débats* signé Ernest Reyer. Légitime, cette gloire-là : *Fleur de Thé* marqua bien les prémices d'un talent en sa fleur ; les fruits en devaient passer la promesse.

Ce qu'on ne peut évidemment dire d'autres musiciens mineurs cités ci-après.

1. **Emile Jonas.** Succès douteux pour *Le Duel de Benjamin* (1855) ; d'estime pour *Le Roi boit* (1857) ; affirmé pour *Le Manoir de La Renardière* (1864) ; triomphal, ou tout comme, pour *Le Canard à rois becs* (1867) sur un livret de Jules Moinaux, à la vérité l'un des mieux venus de l'époque. Ce *Canard* fut d'ailleurs repris en 1889 et la presse salua alors Jonas comme un musicien qui, avec un peu plus de suite dans les idées, aurait pu être un Hervé n° 2.

2. **Isidore Legouix.** Eut l'honneur de collaborer avec ce Jonas, avec Delibes et avec Bizet pour un *Malbrough s'en va-t-en guerre* (1867).

3. **Adolphe Nibelle,** élève d'Halévy jusqu'à en être le musicien d'une *Jeanne d'Arc* mais qui, d'une autre encre, donna un *Loup Garou* (1858) et une *Arche Marion* (1868).

4. **Jules Costé,** qui, en collaboration avec le Comte d'Osmond, et en 1855, l'année des *Deux Aveugles*, donnait une *Pleine Eau*.

5. **Jules Bovery,** auteur de cette *Madame Mascarille* (1856) qui aurait donc, par cette opérette-là, voulu ravir à Offenbach la paternité de l'opérette.

Après quoi resteraient encore ceux qui ne s'y vouèrent que par occasion, relative ou non. Opérette, *Les Pantins de Violette* qu'Adam faisait jouer en 1856, aux Bouffes ; opérette aussi son *Toréador* donné en 1849, à l'Opéra-Comique. De même Flotow donnait-il, en 1859, une *Veuve Grapin* ; Adolphe Fétis, fils de Fétis (François-Joseph) la même année, un *Major Schlagmann* ; Jules Duprato enfin, en 1857, un *M'sieu Landry*, etc.

II. — Charles Lecocq ou l'opérette bourgeoise (1870-1900)

Chaque fois que le régime social change, la musique change avec lui, et plus encore sans doute la petite que la grande. L'Empire était tombé. La République naissait. Une opérette nouvelle allait naître.

Certes, Offenbach et Hervé sont toujours là, mais une place reste à prendre à côté d'eux, ou entre eux, « en excluant ces vieux rythmes alsaciens (1) qui n'étaient qu'au musicien d'*Orphée aux Enfers* et de *La Belle Hélène* » : le mot est de Charles Lecocq à qui cette place-là va revenir. Ce qui résulte déjà de deux lettres, l'une et l'autre de 1871 on veut croire.

La première par lui adressée à son éditeur Brandus :

Je ne sais si je me trompe, mais je me figure, qu'après pareille guerre le goût français sera changé et que les obus prussiens auront tué notre pauvre opérette.

La seconde à lui adressée par Humbert, directeur des bruxelloises *Fantaisies Parisiennes* :

Ne croyez-vous, cher ami, qu'il faudrait tirer la nouvelle opérette de cette grivoiserie à la mode d'hier et qu'elle soit désormais populaire avec des rondes et des chansons ? Après la rude épreuve que votre pauvre pays vient de subir, n'éprouvez-vous le besoin de chanter clair pour oublier ?

Cette opérette claire et chantante autant que chansons et que rondes, allait être celle du musicien de *La Fille de Mme Angot* et du *Petit Duc*.

1. Charles Lecocq

A) *Les origines et les premiers essais.* — Charles Lecocq avait vu le jour à Paris, en un pauvre logis sans lumière de la montagne Sainte-Geneviève, le 3 juin 1832, un logis où une coxalgie allait bientôt imposer à sa souffreteuse enfance les béquilles qu'il ne devait plus abandonner. Elève de Bazin et d'Halévy au Conservatoire, il y est le condisciple de Bizet, son ami et bientôt son concurrent. C'est qu'en 1856, Offenbach fonde sur un livret imposé,

_____

(1) Combien on eût mieux compris : « au musicien de *Lischen et Fritzchen* ! »

Le Docteur Miracle, un Prix d'Opérette. Or, ce Prix c'est *ex œquo* à Bizet et à lui qu'il va. Mais tandis que Bizet s'engage alors sur le large chemin qui le mènera à *L'Arlésienne* et à *Carmen*, Lecocq, justement conscient de ses possibilités, prend le facile sentier où s'ouvre un *Cabaret de Ramponneau* (1867) et aux à côtés duquel il cueille cette *Fleur de Thé* dont nous avons parlé. Ainsi peut-on dire que Lecocq-musicien-léger, c'est Offenbach qui l'aura révélé à lui-même.

B) *Les Opérettes bruxelloises :* Les Cent Vierges, La Fille de Mme Angot, Giroflé-Girofla. — Ce sont à coup sûr les circonstances qui avaient amené Charles Lecocq à donner ces trois œuvres aux Fantaisies-Parisiennes, les deux premières à dix mois de distance (16 mars-4 décembre 1872). Deux ans plus tard, c'est avec *Giroflé-Girofla* qu'il revenait à la scène de ses deux succès-là.

La première et la troisième ne semblent point rompre encore avec le genre de cette *Fleur de Thé* qui lui avait valu sa notoriété première. *Giroflé-Girofla* est une de ces histoires à substitution nuptiale d'un type dont on va bientôt abuser ; et quant aux *Cent Vierges*, c'est là une de ces « équivoques graveleuses » où l'on expédie des vierges qui ne le sont guère aux marins d'une île déserte. La musique de son côté semblait innover assez peu, même si l'on juge d'une sévérité parfaitement excessive l'opinion de la presse parisienne au lendemain de la création des *Cent Vierges* aux Variétés (13 mai 1872) : « Ce ne sont là que méchants fredons, douteuses cantilènes, rengaines à tout aller et tristes ressucées de ce qu'Offenbach et Hervé, ces géants, avaient donné au temps du plaisir de vivre. » Même la valse « O Paris gai séjour », ne trouvait grâce aux yeux de ces aristarques, ou à leurs oreilles : on

croyait l'avoir entendue dans *Chilpéric* ! Elle
n'en devait pas moins faire beaucoup pour la
jeune gloire du musicien. Avant de faire son tour
du monde, elle s'assurait la conquête du triste
Paris d'alors, encore balafré des balles de la
Commune.

Reste *La Fille de Mme Angot*, qui, elle, est
d'autre encre, et d'autre esprit. C'est en janvier 1872
qu'Humbert avait convenu d'une œuvre nouvelle
pour son Théâtre bruxellois, avec les librettistes
Clairville, Siraudin et Kœning, « le premier faisant
les couplets, le second les paroles et les courses
le troisième ». On avait examiné plus d'un sujet
possible, et jusqu'à celui d'un *Roméo et Juliette*,
quand Humbert lui-même proposa une époque
hybride, bigarée, affolante qui, presque invraisem-
blablement, n'avait pas encore servi de toile de fond
à une opérette : celle du Directoire. Le coup de
génie des trois collaborateurs, c'est de l'avoir si
bien fait revivre avec ses Merveilleuses, ses Musca-
dins, ses Incroyables, ses Soldats d'Augereau qui
« sont des hommes » en son climat, son esprit, voire
ses mouvements populaires qu'elle devait réaliser,
dit justement Reynaldo Hahn, « une émanation
du vieux Paris, ni plus ni moins qu'une suite de
Boilly ou de Dubucourt ». L'histoire y est présente,
la petite histoire avec Mlle Lange et avec Ange
Pitou le chansonnier et la tradition populaire avec
cette traditionnelle Mme Angot qui semble y
préfigurer, en la mesure même où la vie imite
l'œuvre d'art, Madame Sans-Gêne. Enfin la musique
de ce petit chef-d'œuvre, l'un des plus justement
célèbres du répertoire, dit encore et toujours aussi
pertinemment Reynaldo, la musique y a sans
pastiche aucun comme un arrière-écho de *La
Carmagnole* et du *Ça ira*, et elle l'accorde avec des

effusions sans mièvrerie et des accents d'une séduisante ou séditieuse émancipation.

La Fille de Mme Angot obtenait, le 4 décembre, un triomphe qui la faisait presque bisser page à page. Ce qui n'empêchait Cantin, directeur des Folies-Dramatiques, d'hésiter à lui faire passer la frontière. Il ne s'y résignait, le 23 février 1873, « qu'en la certitude qu'on ne joue des chefs-d'œuvre tous les jours et que, si on arrivait à la fin de celui-ci, il ne tiendrait pas dix soirs » ! Or, il devait avoir quatre cents représentations consécutives, dépasser largement la millième, et après avoir été joué à l'Opéra-Comique le 28 décembre 1918, entrer à son répertoire le 19 juin 1919 : il y est encore. C'est d'ailleurs dès la première que Paris avalisa le triomphe de Bruxelles jusqu'à trisser son « Ah ! c'est donc toi, Madame Barras ! », jusqu'à traîner en scène le pauvre auteur qui n'en revenait pas. De ce succès, pourvu qu'on lise quelque peu entre les lignes, voici deux témoignages du temps.

Un témoignage de Francisque Sarcey :

L'opérette bouffe s'en va. Elle s'en va, ou elle se transforme, ce qui n'est pas dommage : la veine en était depuis longtemps épuisée. La Fille de Mme Angot n'a plus qu'un rapport lointain avec les chefs-d'œuvre du genre aujourd'hui démodés : Belle Hélène ou Œil crevé. Et c'est tout à fait l'ancien style du vieil opéra-comique aux beaux jours de sa naissance. A l'heure où, d'un mouvement invincible, l'opéra-comique tourne vers le grand opéra, il n'est que naturel que ce genre éminemment français nous revienne sur d'autres scènes plus humbles. Le succès de La Fille de Mme Angot constitue une petite révolution qui a été du goût du public : il s'est énormément amusé.

Un second témoignage de Gaston Jollivet en ses Souvenirs d'un Parisien :

Ce qui réveilla Paris de la torpeur où il vivait au point de vue théâtre depuis les jours sombres de la Commune, ce fut bien l'éclatant triomphe qu'obtint La Fille de Mme Angot.

L'Offenbach et le Hervé d'après-guerre. — Les
« grands » étaient toujours là, disions-nous, avec à
peine un peu de plomb dans l'aile. Ainsi ne devaient-
ils tarder à prétendre reprendre leur place : tout se
passait, pour eux, comme si rien ne s'était passé.
L'entracte était terminé. La fête reprenait.

Offenbach en était resté aux *Brigands* et à *La
Princesse de Trébizonde* ; Hervé au *Petit Faust*. On
reprenait donc *La Princesse* aux Bouffes, *Les Brigands* aux Variétés, *Le Petit Faust* aux Folies-Dramatiques. Ceci pour enchaîner avec deux nouveautés
qui de quelque scandale vont marquer l'époque :
au lendemain même de la libération du territoire
(20 sept. 1871), les Variétés affichaient (nov. 1871),
Le Trône d'Ecosse d'Hervé et la Gaîté *Le Roi
Carotte* d'Offenbach (janv. 1872).

Hervé revenait de Londres. Sa manière littéraire
était toujours si non sans rime du moins sans raison.
Telle la déclaration longtemps fameuse de Flora
à Buckingham :

> Je voudrais — vous en ririez ! —
> Etre le vernis de vos bottes
> Pour passer ma vie à vos pieds.

Mais si la musique valait la poésie, l'orchestration
semblait plus soignée.

Resté lui-même Offenbach, lui, rentrait d'Italie.
Et son *Roi Carotte* pour faire appel à une source
nouvelle et un librettiste nouveau (Hoffmann et
Victorien Sardou), avait été annoncé... pour le
15 octobre 1870 ! La musique n'innovait point
pour chanter l'histoire à transparentes allusions
de Fridolin XIV épousant Cunégonde et trompé
par le roi Carotte : il y avait là un chœur « Ah !
quel gouvernement ! » qui en disait long. Ainsi,
certaine presse devait-elle l'accuser d'avoir fait le
jeu de M. de Bismarck, ce que Félix Clément, à

moins que ce ne soit Arthur Pougin, résume comme suit dans le *Dictionnaire des Opéras* :

Qu'au lendemain de nos désastres et de la captivité de 300 000 citoyens il se soit trouvé un public pour œuvre pareille, cela est honteux, et les hommes de patriotisme et de cœur en ont gémi.

Mais au fait, ils pouvaient gémir presque autant devant les aventures de Robert Mouton, marchand de vinasse occupant le Trône d'Ecosse aux lieu et place de Robert Bruce. Plus transparentes encore, ces aventures allaient jusqu'à susciter une interpellation parlementaire.

Du moins *Le Trône d'Ecosse* et *Le Roi Carotte* marquaient-elles la fin de certaine opérette à sous-entendus (*La Fille de Mme Angot* en aura beaucoup moins !). Et c'est un autre genre d'esprit que vont désormais exploiter Offenbach et Hervé.

Peu à peu d'ailleurs, peu à peu ou d'année en année, la situation devait se stabiliser jusqu'à l'Exposition de 1878 qui devait offrir une occasion nouvelle à spectacles fastueux. Et c'est alors que l'*Orphée aux Enfers* revenait revu, corrigé, élargi, « spectacularisé ou gigantisé » si l'on ose dire, au point de constituer la première en date des opérettes à grand spectacle et jusqu'à offrir celui de deux « géants » réconciliés : Offenbach est, en habit, au pupitre ; Hervé, sur le plateau, y est Jupiter. La vitesse, a-t-on dit, donne la mesure de la joie, et le tempo est toujours à la vitesse ; mais la joie désormais sonne un peu faux. « On s'était grisé, dit Barbey d'Aurevilly. On s'était grisé, on se dégrise. »

Avant cet *Orphée* nouveau style, les œuvres d'Offenbach n'avaient pas été sans se succéder, mais en évidente perte de succès. Ç'avait été *La Jolie Parfumeuse* (1873), *Madame l'Archi-*

duc (1874), *La Créole* (1875), *La Foire Saint-Laurent*
(1877). Ce devait être plus tard *Madame Favart* (1878) et *La Marocaine* (1879). Mais il devait,
avant ces deux dernières, s'assurer, avec *La Fille
du Tambour-major* un avant-dernier triomphe qui
devait prendre l'allure d'une bagarre, d'une émeute
ou d'une révolution. Qu'elle ait accusé quelque
ressemblance avec *La Fille du Régiment,* voilà qui
ne pouvait que la servir, l'œuvre de Donizetti
étant restée populaire. Ainsi en cent soirs — tam-
bours battants, couplets au clairon — cette centième opérette à « Chant du Départ » obligé, lui
faisait-elle reconquérir, d'après André Martinet, « la
place qu'on lui disputait la veille : la première ».
    De son côté, avec cette plaisanterie appliquée à
tout comme une gifle, disait encore Barbey, Hervé
en est maintenant à écrire pour Judic des opérettes
type *La Femme à Papa* (1879) qui ne sont plus
guère que des vaudevilles à chansons, quand par
un singulier retour des choses il produit l'opérette
authentique, encore que la moins hervéiste qui soit,
mais qui est la seule aujourd'hui à faire vivre
durablement son nom. En dépit d'un sérieux arthri-
tisme, cette *Mam'zelle Nitouche* (1883) montre encore
ses jambes : c'est André Cœuroy qui l'affirme ; celles
de Judic passaient pour les mieux moulées du siècle.
Actrice et jeune fille, nonette et soldat, elle devait
être tout cela en Denise de Flavigny, et avec une
telle crânerie que le Jockey-Club, pour cette opérette
« militaire », occupait militairement la salle, et que le
Tout-Paris adoptait Floridor et Célestin, lesquels en
devenaient ce que *Les Deux Aveugles* avaient été un
quart de siècle plus tôt : (en un seul) deux personnages légendaires.
    Mam'zelle Nitouche devait être le chant du cygne
d'Hervé. Il ne fait plus que se survivre dans *Fla*

Fla (1886), qui tient cinq soirs, et dans sa *Baccha-
nale* (1892), qui en tient à peine davantage.

Offenbach étant mort en 1880 sur ses *Contes
d'Hoffmann*, Hervé disparaissait, en cette année 1892, en demandant qu'on gravât sur sa pierre :
« Il a fait rire. »

Mais bien avant 1880, c'est presque sans partage
que règne Charles Lecocq.

*
* *

Ce qui, somme toute et de prime abord diffé-
rencie l'opérette preste et pimpante de Lecocq
des opérettes de ses prédécesseurs tient en son
libretto. On a parfois dit qu'un compositeur a le
librettiste qu'il mérite ; mais l'inverse n'est guère
moins vrai. Les librettistes de Lecocq et de ses
successeurs s'appellent Clairville, Chivot et Duru,
Leterrier et Vanloo (ce dernier devant aussi servir
Messager). A Vanloo et Leterrier de fournir à
Lecocq *Giroflé-Girofla*, *La Petite Mariée*, *Le Jour
et la Nuit*, Chivot, Duru et Clairville lui ayant
fourni *Les Cent Vierges*.

A tout prendre, Clairville, pseudonyme de François Nicolaïe (1811-1879) ne serait pas loin de suffire à éclipser les autres. Non point seulement
parce qu'il fut le plus abondant (on lui prête quelque quatre cents pièces, presque mille actes !) :
mais parce qu'il collabora avec Eugène Labiche.
Par *Le Chapeau de paille d'Italie* (1851), comme par
Les trente Millions de Gladiator qui marquent, à
près de vingt-cinq ans de distance, les bornes de
son activité, Eug. Labiche justifie le mot de Mon-
selet : « Le plus sonore éclat de rire du siècle ».
Mais n'a-t-on été aussi jusqu'à prétendre que
Labiche avait inventé une langue, ce que Meilhac

et Halévy, de façon moins discutable, avaient fait
avant lui ? Alors que ceux-ci, sans compter Marivaux,
ont au moins eu Musset et Mérimée au nombre de
leurs ancêtres — le Musset du *Chandelier* et le
Mérimée du *Carrosse du Saint-Sacrement* — Clairville ne peut guère avoir comme répondant qu'Eugène Scribe. Ses vaudevilles, pour plaisants qu'ils
puissent être, pour bien agencés qu'ils soient n'exci-
pent guère de cette « éternité du moment »,
de ce « fugitif de l'éternel » dont témoigne si souvent une pochade de Meilhac, d'Halévy — et
d'Offenbach.

La pièce qui naît, dit ce dernier, fait oublier celle qui meurt.
On ne cherche ni comparaison, ni rapprochement, ni analogie.
C'est toute une série de tableaux qui fuient comme en une
lanterne magique. Une fois évanoui, le succès le plus absolu
ne pèse pas plus en l'esprit du public que la chute la plus
éclatante.

Et c'est bien pour ce côté « actuel » sans doute que
Baudelaire aimait Offenbach : il l'aurait volontiers
chargé, comme Constantin Guys, de « ce quelque
chose qu'on nous permettra d'appeler la modernité ». Tout comme Stendhal l'eût — qui sait ? —
aimé pour sa vérité. Car c'est bien de vérité qu'au
lendemain de la reprise de ce *Réveillon*, qui (tout
se tient) donnera *La Chauve-Souris* à Johann
Strauss, c'est bien de vérité que parlait Jules
Lemaître.

Si la pièce nous attache, nous ravit, c'est autant par la
merveilleuse vérité que par la gaîté du dialogue sans un agen-
cement d'effet propre à exalter notre curiosité, presque en
dehors de toute action dramatique.

Assez loin de cette vérité-là, assez loin de celle
de Labiche même sont les livrets de Clairville et
consorts : ce ne sont que d'adroites ou d'astucieuses
pièces à tiroir dont les ficelles, à force de faire

mouvoir des marionnettes aux situations à peu près les mêmes toujours, devaient finir, tout usées qu'elles fussent, par paraître trop visibles. Ainsi ces pièces ne pouvaient-elles appeler en un identique mouvement que des couplets et des refrains interchangeables. Enfin, en cette opérette qu'il appelle « dégénérée », le sévère Pierre Lalo voit s'effacer « tous les traits qui avaient donné au genre naissant une originalité et une raison d'être ». Mais on continue à le citer :

Nulle audace, nul caprice, nulle joie, nulle bouffonnerie, nulle folie : une musique bien sage, bien insignifiante, bien ordinaire, de l'invention la plus banale et du goût le plus commun. Une musique est le mot propre : ils n'en avaient qu'une à eux tous, et ils faisaient tous la même. Impossible d'apercevoir une différence entre la manière d'écrire de celui-ci et de celui-là. A quoi distinguer Audran de Planquette, Planquette de Serpette, Serpette de Varney ?

Le *tempo*, répétons-le après Mozart, est la chose la plus indispensable en musique, et bien moins le *tempo* métronomique que le *tempo* spirituel. Sans doute, Offenbach n'a-t-il essentiellement recours, comme Lecocq, qu'à deux rythmes : polka à deux temps, valse à trois, avec la vieille contredanse-chahut qui devait faire son cancan, celui dont 1900 fera son « french cancan ». Mais en ces formes assez pauvres, c'est une mélodie d'une liberté incessamment inventée, incessamment renouvelée qu'il sût couler. Certes, il n'est pas impossible de prouver que Lecocq est un musicien plus averti encore, « connaissant mieux son affaire » qu'Offenbach ; mais même si *La Fille de Mme Angot* était mieux « réalisée » que *Les Contes d'Hoffmann*, l'auteur de ceux-ci n'en garderait pas moins pour lui le bénéfice certain de ce frisson nouveau, de ce bondissement issu de la danse qui manquera trop

souvent à la muse, charmante mais pédestre, d'un
Charles Lecocq.

Une citation encore, d'Offenbach toujours :

Dans un opéra qui dure trois quarts d'heure à peine, il
faut avoir des idées et de la mélodie argent comptant. Notez
qu'avec cet orchestre exigu dont Mozart et Cimarosa se sont
cependant contentés, il est fort difficile de cacher ses fautes
et une inexpérience que dissimule un orchestre de quatre-
vingts instrumentistes.

C) *Les Opérettes Renaissance.* — Sur l'emplace-
ment d'immeubles incendiés par la Commune, on
venait alors de bâtir ce Théâtre de la Renaissance
qui, ces années-là, devait avoir deux directeurs :
Hostein, qui avait révélé *Giroflé-Girofla*, et Victor
Kœning, qui devait mettre en circulation, avec
La Petite Mariée, la fructueuse formule de « faire
plus que le maximum ». Ce théâtre-là devient celui
de Charles Lecocq, comme les Bouffes avaient été
celui d'Offenbach. Il y trouvait même avec Jane
Granier, son interprète d'élection. *La Petite Mariée*
était la première des sept opérettes qu'il devait y
donner de 1875 à 1879, les autres étant *Kosiki* (1876),
La Marjolaine (1877), *Le Petit Duc* et *La Carmago*
(1878), *La Petite Mademoiselle* et *La Jolie Per-
sane* (1879). Mais trois d'entre elles seulement
méritent souvenir : *La Petite Mariée*, *Le Petit Duc*,
La Petite Mademoiselle ; et seule la seconde de
celles-ci reste vivante.

L'esprit d'elles toutes n'est point en essence
différent de celui dont Lecocq avait témoigné en
ses ouvrages précédents. Tout au plus s'allège-t-il
quelque peu, en même temps que l'écriture s'y
marque de quelque simplification ou de quelque
hâte, et que l'inspiration, malheureusement, tend
à s'appauvrir. *Le Petit Duc* seul se signale par ce jet,
cette invention qui font les chefs-d'œuvre, petits

ou grands. Le livret était, cette fois, signé Meilhac
et Halévy. Et ce Petit Duc de Parthenay, colonel
comme Chérubin, et qui à dix-huit ans d'âge,
tend bien la main à Pomponet comme, sa fiancée
Blanche, qui à seize printemps, tend la main à
Clairette Angot. Et voilà ce qui, par le sujet — un
sujet qui lui aussi était, en plus pâle, un petit
tableau d'histoire — rapprochait ce *Petit Duc*,
moins des *Noces de Figaro* que du *Pré aux Clercs*,
moins du *Comte d'Ory* que des *Mousquetaires de
la Reine*, ces trois dernières œuvres restant fami-
lières au public de 1878 ; pour nous, il peut en plus
rappeler quelque peu *Le Roi l'a dit* de Léo Delibes,
dont le premier acte — d'opérette — est un chef-
d'œuvre. Ce livret mêlait le charme et la malice au
comique de bon aloi dont le précepteur Frimousse
se faisait le dépositaire. Quant à la musique, elle
en faisait tout autant, épousant de près les qualités
du texte, d'une veine exceptionnelle et d'une remarquable élégance d'écriture. Elle compte « On a
l'âge du mariage quand on a l'âge de l'amour »,
ce qu'affirme le Petit Duc lui-même ; une exquise
« Chanson des Pages », une preste « Gavotte »
et certaine « Leçon de Solfège » rappelant, dit
avec à-propos Louis Schneider, que Lecocq — un
musicien, décidément — terminait en l'écrivant la
révision du *Castor et Pollux*, de Rameau.

Ainsi toute la gloire de Lecocq pourrait-elle
tenir à deux partitions : à ce *Petit Duc* et à *La
Fille de Mme Angot*.

D) *Les Opérettes du déclin*. — Trois de celles-ci au moins
sont encore à citer : *Le Jour et la Nuit* (1881), *Le Cœur et
la Main* (1882), *La Princesse des Canaries* (1883). Les sujets
s'y prêtant par certaine analogie d'esprit, les partitions ne
sont pas loin de paraître ici une adaptation l'une de l'autre.
Cela vrai surtout pour *Le Jour et la Nuit*, qui fournit le slogan
« Les Portugais sont toujours gais » et *Le Cœur et la Main*,

qui se rappelle à nous par la toujours populaire « Chanson du
Casque ». Quant à *La Princesse des Canaries*, c'était, au dire
de l'auteur lui-même, « une pièce bon enfant ». Ce qui ne veut
dire que c'est pour les enfants qu'elle fut faite. Les plaisan-
teries des Généraux Pataquès et Bombardon amusèrent surtout les grands, qui leur prêtèrent d'autres noms. Les musiciens, eux, ne purent que constater l'imagination sclérosée
de cette partition. En plus, *Le Cœur et la Main* devait subir,
à moins d'un mois près (14 octobre, 11 novembre), la concur-
rence d'une opérette nouvelle, tirée du même conte de Boccace,
La Femme courageuse. Le titre de celle-ci : *Gillette de Narbonne*.
Son auteur : Edmond Audran.

De l'imagination, Charles Lecocq n'en avait
certes manqué en son bel âge, ni de certaine séduction bien à lui : ne l'appelait-on, en ces temps où
Massenet allait passer pour le maître du charme,
le Massenet de l'opérette ? Qu'elle puisse, cette
imagination nous paraître, à nous, moindre que
celle d'un Messager et de moins solide qualité,
voilà qui n'est guère discutable. Ayant entendu
l'une des premières œuvres de celui-ci, c'est d'un
mot trois fois lapidaire que Charles Lecocq devait
résumer son opinion : « C'est original. C'est intéres-
sant. Cela manque d'imagination ! »

En brave homme et en bon Français qu'il était,
Lecocq attendait la victoire de 1918. C'est en la
certitude qu'elle était acquise qu'il quittait ce
monde le 24 octobre de cette année-là.

A placer immédiatement en dessous de Lecocq,
avec un peu moins d'élégance d'écriture : Edmond
Audran et Robert Planquette.

2. Edmond Audran

Fils de Marius-Pierre Audran, chanteur lyrique qui faisait
une carrière à l'Opéra-Comique, Edmond Audran, né à Lyon,
le 11 avril 1842, fut d'abord destiné à une carrière bien diffé-
rente de celle qui devait lui donner un nom : il entrait à l'Ecole
Niedermeyer.

Louis Niedermeyer, musicien franco-suisse (Nyons, 1802, Paris, 1861) fut un auteur d'opéras et de romances. Ses opéras *Stradella* (1837) et *Marie Stuart* (1844) sont oubliés ; la romance lamartinienne *Le Lac*, fut longtemps populaire. L. Niedermeyer avait, en successeur de Choron, fondé à Paris l'Ecole de Chant Ecclésiastique, qui fut, au milieu du siècle dernier, une façon de pré-Schola Cantorum. Mais si elle constitua une pépinière d'excellents maîtres de chapelle, tels Eugène Gigout et Gabriel Fauré (on sait que c'est comme maître de chapelle que ce dernier débuta), elle le fut aussi d'excellents musiciens d'opérette. Audran en est le premier ; mais nous aurons au moins à citer plus avant Victor Roger, Léon Vasseur, André Messager et Claude Terrasse.

C'est de leur formation d'organistes, de leur qualité d' « organistes ayant mal tourné » que résulte, toujours d'après le sévère Pierre Lalo, l'uniformité de leur écriture. « Tous leurs ouvrages n'ont rien qui leur appartiennent en propre que le titre et le sujet de la pièce : la musique n'y est pour rien... Cela se reconnaît en particulier à leur instrumentation : ils orchestrent tous comme un organiste registre, sans aucun sentiment de la couleur d'un timbre, de la valeur d'un instrument dans l'ensemble orchestral. » Curieuse remarque : n'est-ce point cela que l'on reprocha longtemps au musicien qui est bien le plus éloigné de l'opérette, à César Franck ?

C'est donc en organiste à Marseille qu'Edmond Audran commença sa carrière, non sans courtiser, entre la messe et les vêpres, la muse de la musique légère. Il avait ainsi écrit une *Chercheuse d'esprit* (1864) quand sa bonne fortune lui fit rencontrer le librettiste Chivot. Enthousiasmé, celui-ci lui prophétisa « qu'il serait roi ». Mieux : il lui confia un livret de sa façon, celui du *Grand Mogol*. Or, ce *Grand Mogol* connaissait, en 1877, en la cité phocéenne et avec une débutante du nom de Jane Hading, un succès retentissant, retentissant au point qu'il semblait que Paris n'eût plus qu'à adopter l'œuvre nouvelle, le musicien nouveau. Celui-ci, sans que la capitale perdît au change, préféra lui offrir successivement des *Noces d'Olivette* (1879), *La Mascotte* ensuite (1880), enfin cette *Gillette de Narbonne* plus haut citée. C'étaient là trois partitions dont une seule (la seconde) faisaient de lui le « roi » des Bouffes-Parisiens. *La Mascotte* reste encore aujourd'hui une des opérettes les plus populaires du répertoire français. Dès le premier soir, la chanson « Moutons et Dindons » fut trissée, et Mlle Montbazon imposa, cette saison-là — paille, bleuets et coquelicots — le « chapeau à la Bettina ». Ce n'est que lorsque cette *Mascotte* eût pris son rang qu'Audran

donna à la Gaîté, en 1884, son *Grand Mogol* version nouvelle ; et d'emblée cette œuvre de début devait rejoindre les
plus inépuisables succès. C'est un succès à peine inférieur à
ceux-là que devait obtenir, en 1890, une *Miss Helyett*, « égril-
larde, libertine et aérienne » : avec ce triple adjectif, ne donnait-
elle aux belles et honnestes dames d'alors l'occasion de rougir
décemment derrière leur éventail — ou de faire semblant ?

Audran devait encore attacher son nom à deux opérettes,
d'esprit assez dissemblable : *L'Enlèvement de la Toledad* (1894)
et *La Poupée* (1896). La première s'inspirait d'un petit scandale qui avait défrayé l'actualité parisienne : il l'enveloppait
de danses espagnoles où Audran montrait un peu moins de
feu que ses prédécesseurs. Quant à *La Poupée*, d'une trame un
peu grosse, elle puisait au fond inépuisable d'Hoffmann ;
mais la musique s'y montrait d'une verve enfantine un peu
trop appliquée.

Cette *Poupée* était d'ailleurs l'enfant de la cinquantaine du
compositeur, qui disparaissait le 17 août 1901, à Tierce-
ville (S.-et-O.).

3. Robert Planquette

Robert Planquette qui avait vu le jour à Paris, le 30 juin 1848,
devait commencer par n'être qu'un compositeur de marches et de chansonnettes (l'une de ces marches d'ailleurs
devait être célèbre : c'est *Le Régiment de Sambre-et-Meuse*
qui, au nom de liberté toujours, s'ébranla à la voix généreuse
de Lucien Fugère). Tout au plus avait-il écrit quelques
opérettes de second plan — *Le Valet de Cœur*, *Le Serment
de Mme Grégoire*, *Paille d'Avoine* — quand les circonstances
de la vie l'amenèrent à écrire ces *Cloches de Corneville*
qui firent sa fortune et qui ont une petite histoire. Certain
Gabet, commissaire de police à loisirs, avait réalisé un
livret pour les couplets duquel, ne s'entendant guère aux
rimes, il s'était adressé à Clairville. Ce livret, Hervé n'en
voulut point, non certes parce qu'il ressemblait un peu trop
à *Martha* ou à *La Dame blanche* ; seulement parce qu'il man-
quait, à son sens, de défilés-calembours : la pomme eût au
moins dû faire apparaître Eve et Guillaume Tell ! De cette
pomme, Planquette fit la chanson que l'on sait et qui eût
suffi au succès du petit ouvrage réellement improvisé en
moins d'un mois entre les séances du Concert de l'Epoque,
boulevard Beaumarchais, où il était alors pianiste. Tout au
plus serait-ce sa mère, cantatrice à l'Opéra, qui lui aurait
chantonné : « Va, petit mousse. » La critique, une fois de

plus, parla « de ramassis de polkas, de valses et de rondeaux vingt fois entendus », mais n'empêcha rien : le 19 avril 1877 reste une date de l'opérette populaire en France et le 18 octobre 1886, celle de la millième, une autre. Aux *Cloches de Corneville* rien ne manqua, pas même une parodie : en 1878, certain Cressonnois donnait des *Cornes de Clochenville*.

Après quoi tout se passa comme si Planquette avait voulu se montrer « plus grand que lui ». Autant *Les Cloches* relèvent de certaine fringante gaudriole (« Viv' le cidre de Normandie... »), autant *Rip* devait se réclamer de légendaire poésie : « C'est un rien, un souffle, un rien... », inspiré par le conte célèbre, par la célèbre « romance of sleeping hellow » de Washington Irving. Ainsi plutôt qu'une opérette, est-ce bien là un délicieux opéra-comique qui ne se refusait rien, pas même une harpe à l'orchestre où elle parut aussi peu à sa place que dans la Symphonie de César Franck ! Créé à la London Comedy, en 1882, le 14 octobre 1882, *Rip* passait aux Folies-Dramatiques, en 1884. Et encore une fois, il constitue avec *Les Cloches de Corneville*, l'œuvre qui assure la notoriété ou la gloire de Planquette. Les suivantes ne devaient certes y ajouter, à l'exception de *Surcouf* qui, à tout prendre, ne serait pas indigne de former avec *Rip* et *Les Cloches*, une petite trilogie.

C'est en sortant d'une répétition de ces *Cloches* que, le 28 janvier 1903, Planquette prit froid jusqu'à en trépasser.

*
* *

Lecocq tout seul. En dessous de lui, le tandem Audran-Planquette. Au-dessous de ce tandem enfin, le brelan Louis Varney-Victor Roger-Gaston Serpette.

1. **Louis Varney** (1844-1908) était le fils d'un Pierre Varney dont le *Chant des Girondins* (« Mourir pour la patrie ») avait transporté les spectateurs du *Chevalier de la Maison rouge*, de Dumas, avant d'aider à mourir les défenseurs des barricades de 1848. Il avait en plus écrit sept opérettes, sans en laisser une. Son fils en devait écrire trente-neuf, une seule toujours vivante : *Les Mousquetaires au Couvent*, qui ne sont pas, en gros, sans être un mélange de *Mam'zelle Nitouche* et de *Petit Duc*. Ces *Mousquetaires au Couvent* (1880) ont fait oublier *Fanfan la Tulipe* (1882), *L'Amour mouillé* (1887), *La Fille de Fanchon la Vielleuse* (1891)... et les trente-cinq autres !

2. **Victor Roger** (1853-1903), sorti de l'Ecole Niedermeyer, devait d'abord s'imposer par *Joséphine vendue par ses Sœurs* (1886), qui ne pouvait manquer de quelques réminis-

cences de Méhul, mais le *Joseph* de celui-ci était alors en toutes les mémoires. Cependant, c'est par *Les vingt-huit Jours de Clairette* (1892) qu'il devait s'imposer tout à fait : cette œuvre, l'une des premières opérettes militaires, devait tenir près de deux cent cinquante soirs. Pour mémoire : *L'Auberge du Tohu-Bohu* (1897).

3. **Gaston Serpette** (1846-1904) devait décrocher le Prix de Rome avec une *Jeanne d'Arc* — une de plus — et s'affirmer avec des opérettes dont quelques titres peuvent encore se dire ; citons : *Le Manoir du Pic-Tordu* (1875), *Le Moulin du Vert-Galant* (1876), *Le Château de Tire-Larigot* (1884). La seconde de ces œuvrettes constitue une partition particulièrement copieuse dont quelques pages pourraient encore être entendues. Exemple : « Eh bien oui, c'est là un mystère ». Le mystère, c'est que ce *Moulin du Vert-Galant* n'ait pas tenu.

Les autres

Restent les petits, les obscurs... parmi lesquels, en peloton de tête, il est permis d'hésiter entre Léon Vasseur et Paul Lacôme.

1. **Léon Vasseur** (1844-1917) fut, au sortir de Niedermeyer, organiste à la cathédrale de Versailles. En tant que fournisseur d'opérettes, il fait hésiter entre sa *Timbale d'Argent* (1872) et son *Roi d'Yvetot* (1873). La première, écrite en un mois, s'assura deux cents soirs aux Bouffes qu'elle sauva d'une faillite.

2. **Paul Lacôme d'Estalenx** (1838-1920) fut mis en selle par un Prix du Concours de ce même Théâtre des Bouffes, prix qui le fit monter de son Languedoc natal à Paris, où il s'assura la notoriété par *Jeanne, Jeannette et Jeanneton* (1876) dont Offenbach avait abandonné l'idée dans l'impossibilité d'y réunir comme interprètes Judic, Granier et Théo

3. **Olivier Metra,** outre cent valses, écrivit *Soir d'Orage* (1874).

4. **Edmond Missa,** outre quelques opéras-comiques comme *Muguette* et quelques mélodies-rengaines comme *Le Petit Navire*, écrivit *Le Chevalier timide*, *La Belle Sophie* et *Ninon de Lenclos.*

Francis Thomé fut l'auteur d'un *Baron Fric* (1886). Léon Gregh, père de Fernand, de l'Académie française, donna un *Lycée de Jeunes Filles* (1887). Frédéric Wachs, père de Paul, fournisseur des Folies-Bergères, donna une *Leçon d'amour* et *Tatache et Toto* (1875). Jules Costé fut l'auteur d'un *Dada* (1876) et de *Charbonniers* (1877) qui fut considéré « comme un menu chef-d'œuvre ». Charles de Sivry n'est pas que le beau-frère de Verlaine ; il est aussi le musicien d'un *Aveugle par amour* (1883). En péché de jeunesse, Raoul Pugno, pianiste, eut trois opérettes à son actif : *Ninetta* (1882), *Le Sosie* (1887) et un *Retour d'Ulysse* (1889). François Luigini, dont le *Ballet égyptien* n'a perdu toute audience, n'en a plus aucune avec son *Faublas* (1881). Frédéric Demarquette s'inscrit à ce palmarès avec une *Gabrielle de Vergy*, une *Brioche du Doge* (1873), un *Troubadour Jonquille* (1876) ; Lucien Poujade avec un *Coq de Viroflay* (1878) ; Georges Villain avec un *Jean la Bête* (1879) ; Georges Rose avec une *Belle Hélène en ménage* (1867) ; Victor Toulmouche avec *Une Perle du Cantal* (1875) et une *Saint-Valentin* (1875) ; André Wormser avec un *Rivoli* (1896) ; Antoine Banès avec un *Bonhomme de Neige* (1894) ; Georges Douai avec des *Mules de Suzette* (1875) ; Auguste Cœdès avec une *Belle Bourbonnaise* (1874). Albert Petit écrit d'avance une *Petite Tonkinoise* (1890) et Laurent de Rillé d'avance une *Frasquita* (1882). Enfin Georges Fragerolle, l'homme à la lanterne magique du Chat-Noir est l'auteur d'une *Czardas* qui, datée de 1900, marque les bornes de ce chapitre.

Il y faut cependant ajouter, pour la raison qui va apparaître dès la première page du suivant, Firmin Bernicat, auteur de *Beignets du Roi* (1882) et de certain *François les Bas-Bleus* (1883).

III. — André Messager ou l'Opérette Belle-Époque (1900-1914)

« Messager entre maintenant en scène, fin, réfléchi, curieusement doué, de bonne heure initié aux mystères de son art, de la tonalité antique et de ce plain-chant qui est la base non seulement de la musique religieuse, mais de toutes les musiques. » Ainsi parle Ch.-M. Widor.

1. André Messager

Né le 30 décembre 1853, à Montluçon, d'une famille aisée, des revers de fortune devaient de bonne heure obliger André Messager à devenir l'élève de l'Ecole Niedermeyer où il s'assurait l'ami-

tié de Gabriel Fauré. A la démission de celui-ci,
en 1874, elle le faisait accéder à l'orgue de chœur
de Saint-Sulpice. Il tenait ensuite, en 1880, les
orgues de Saint-Paul et, en 1882, celles de Sainte-
Marie des Batignolles. Enfin s'il donne alors une
Symphonie aux Concerts Colonne, il donne aussi
aux Folies-Bergère divers petits divertissements.
Le meilleur porte ce titre : *Les Vins de France*.

En 1883 disparaît, blond et malchanceux comme
pas un, le petit Firmin Bernicat cité ci-dessus et
qui, en 1882, avait donné à Bruxelles, sur un livret
d'Albert Carré, ces *Beignets du Roi* qui, entre haut
et bas, avaient fait prononcer le nom de Mozart.
A la suite de quoi, il s'était mis à un nouvel ouvrage,
François les Bas-Bleus. Mais avant le point d'orgue
final, la mort lui arrachait la plume des mains ;
cette plume c'était, sur la demande de son éditeur
Enoch, à Messager de la ramasser. De l'œuvre ainsi
complétée, on ne semblait pouvoir attendre qu'un
de ces succès qu'on dit d'estime — ou de souvenir.
C'en fut un d'enthousiasme et qui décida de l'avenir
de son musicien en second. Sans doute, celui-ci
devait-il poursuivre une carrière de grande, de
grande ou de moyenne musique avec le ballet
Les Deux Pigeons (Opéra, 1886) ; avec *Isoline* et
Madame Chrysanthème (Renaissance, 1888 et 1893) ;
avec *La Basoche, Le Chevalier d'Harmental* et
Fortunio (Opéra-Comique, 1890, 1896 et 1907) ;
avec *Béatrice* enfin (Monte-Carlo, 1914). Mais c'est
François les Bas-Bleus qui lui avait permis de
frapper le grand coup ; deux autres devaient suivre :
le 17 novembre 1885, aux Folies-Dramatiques
avec *La Fauvette du Temple* et avec *La Béarnaise*
aux Bouffes, le 12 décembre de la même année.
L'accueil qu'on leur faisait était plutôt différent.
La *Fauvette du Temple*, opérette en uniformes où

ne manquaient ni une épaulette, ni un bouton de
guêtres, n'était pas loin de s'assurer un triomphe :
le spectacle militaire était à la mode, et du Temple
celui-ci passait à l'Algérie du père Bugeaud : les
applaudissements sont en salve. Ils manquent,
par contre, quelque peu à *La Béarnaise* qui avait
prétendu étoffer le répertoire des Bouffes, celui-ci
repris, avec le théâtre lui-même, par Mme Ugalde,
transfuge de l'Opéra. Mais le sujet y devait être
pour quelque chose, les démêlés sentimentaux du
Vert-Galant à qui certain capitaine Perpignan
enlevait la belle Gabrielle relevant trop des sujets
qui avaient servi Charles Lecocq. Et quant à la
musique, il fallait une oreille exercée et attentive
— celle que le public ne lui prêtait pas — pour en
saisir la petite différence avec celle, toute puissante,
du musicien de *Giroflé-Girofla*. Plaisante seulement,
disait-on, plaisante et rien de plus était celle de
Messager dans les *Bourgeois de Calais* (1887) comme
dans le matrimonial *Mari de la Reine*, partition
qu'il devait appeler plaisamment lui-même « le
meilleur de ses fours ». Enfin le demi-succès où,
en dépit de Cassive et de Jean Périer, le demi-four
de sa *Fiancée en loterie* (1896) auquel venait s'ajouter le four complet, à l'Opéra-Comique, de son
Chevalier d'Harmental ne sont pas loin de le désar-
çonner. Par dépit, par amour aussi, celui-ci s'appe-
lant Miss Hope Temple, Messager devient Londonien
jusqu'à servir les sujets de S. M. Victoria. Il est vrai
que ce qu'il leur donne sont les plus oubliables de
ses œuvres : *Miss Dollar* (1893) et *Mirette* (1894).
Mais cet exil ne dure point. Messager a besoin de
retrouver le sol de France — ou celui de Paris
pour être lui-même.

La grande trilogie : Les P'tites Michu, Véronique,
Les Dragons de l'Impératrice.

Les P'tites Michu sont, aux Bouffes, du 16 novembre 1897 (1), et *Véronique*, du 10 décembre 1898. Blanche-Marie Michu et Michu Marie-Blanche, jumelles un peu parentes des populaires Deux Orphelines, avaient amené à un timide attendrissement un public tout prêt à l'égrillard sous-entendu. Demi-sœur de Mimi Pinson et cousine, à la mode de Bretagne, de la Lisette de Béranger, Véronique allait à son tour le mener à la plus douce émotion. Emois furtifs. Désirs fugaces. Aveux informulés et baisers sans qu'on se touche. Tout cela marqué d'une modulation assez furtive pour qu'elle ait d'avance la saveur d'un regret, sinon le goût d'une larme. Véronique a vingt ans. Sa musique a vingt ans comme elle. L'opérette jusqu'alors avait joué au jeu de l'amour. C'est avec Véronique qu'elle aime pour tout de bon.

Les P'tites Michu avaient fait deux cents soirs. *Véronique* devait en faire bien davantage : au pas de son petit âne trottant de-ci de-là, elle devait suivre son chemin jusqu'à dépasser cette *Mascotte* qui, cette année-là, fêtait sa 1 500e.

On pouvait espérer une suite à Blanche-Marie, à Marie-Blanche et à Véronique. Cette suite, c'est avec *Les Dragons de l'Impératrice* qu'elle devait venir, mais un peu tard : entre temps, Messager était devenu le chef d'orchestre de *Pelléas* et le directeur de l'Opéra. Dans *Véronique*, c'est Jean Périer, le futur Pelléas, qui avait été Florestan ;

(1) Petit problème de très petite histoire musicale. Henry Février, qui fut l'ami de Messager, dit en l'ouvrage qu'il lui consacra qu'il avait d'abord mis de côté, sans même vouloir l'ouvrir, le manuscrit des *P'tites Michu* qui lui avait été adressé à Londres, et qu'il ne fallut rien moins que toute la diplomatie de sa compagne pour lui faire, vers à vers ou strophe à strophe, mettre l'ouvrage en chantier. Vanloo, par contre, qui fut son collaborateur, raconte que sa réponse vint en trois jours : « Cela me plaît. Je me mets à l'ouvrage. J'irai vite. J'arrive. »

c'est Mariette Sully qui avait été Véronique et c'est
elle qui dans *Les Dragons de l'Impératrice* devait
être Cyprienne à côté de Germaine Gallois qui y
était Lucrèce, et de Prince en Agénor des Glaïeuls.
La partition met en scène le petit monde, cher
à Constantin Guys, allant des Tuileries au bal Mabille : « C'est donc ici Mabille, l'enfer si redouté… »
L'œuvre est aujourd'hui presque oubliée. A tort :
cinq mesures, presque au hasard, peuvent dire
Messager, comme celles du Petit Frisson, « qui vous
amuse et dont on rêve ».

2. Claude Terrasse

Si *Les Dragons de l'Impératrice* étaient venus
un peu tard, peut-être Claude Terrasse fit-il comme
eux : Claude Terrasse, le seul concurrent de Messager, comme Hervé l'avait été d'Offenbach, comme
Audran et Planquette l'avaient été de Lecocq.

Né en 1867, à L'Arbesle proche Lyon, Claude
Terrasse devait montrer les plus précoces dispositions musicales. Elles le menaient à être, à l'École
Niedermeyer, l'élève de Gigout. Au sortir de celle-ci,
il s'assure une situation aux Dominicains d'Arcachon ; il y tient l'orgue, y écrit de pieux cantiques
et s'ennuie. Mais l'un de ses cantiques fait un jour
rire le bon Gounod : « Non ! Quel bon refrain bouffe
cela ferait ! Essayez-vous à l'opérette. » (Ne
prétend-on d'ailleurs que l'écho de ce cantique-là
devait s'entendre plus tard dans *Le Sire de Vergy* ?)

D'Arcachon, Claude Terrasse passe à Paris, où
ses obligations de maître de chapelle à la Trinité
ne l'empêchent d'écrire des chansons (on n'ose dire
des mélodies) sur des textes (on n'ose dire des
poèmes) de ce Franc-Nohain dont les *Intentions
et Sollicitudes* viennent de sortir : à en retenir les

trois *Chansons de la Charcutière*. C'est vers la même
époque qu'il donne aussi un *Panthéon-Courcelles*,
d'après Courteline ; une *Heure du Berger*, à la Bodi-
nière ; un *Amour en Bouteille* aux Folies-Parisiennes
et enfin, en 1896, la musique de scène (avec sa
très fameuse « Chanson du Décervelage ») pour
l'*Ubu Roi*, d'Alfred Jarry. Qu'est cela cependant à
côté de *La Petite Femme de Loth* qui, aux Mathurins,
allait apprendre le nom de Claude Terrasse aux
gommeux du Boulevard et bientôt au grand public ?
Livret savoureux de Tristan Bernard ; savoureuse
musique, dont une récente reprise a montré qu'en
soixante ans elle n'avait pris que rides heureuses.

Alfred Jarry, Courteline et Tristan Bernard
devaient singulièrement servir Claude Terrasse. A
leur suite, de Flers et Caillavet vont ouvrir la série
de ces petites pièces grâce auxquelles, pendant
six ou sept ans, « il ne va y en avoir que pour lui ».
On le prouve.

1901. — C'est en 1901, aux Bouffes, le long éclat
de rire des *Travaux d'Hercule*, travaux publics,
travaux privés et galants. D'emblée et d'unanime
opinion, Flers et Caillavet évoquent Meilhac et
Halévy, tandis que Terrasse rappelle Offenbach
et que ces *Travaux d'Hercule* renouent avec *Orphée
aux Enfers*.

1902. — C'est en 1902, aux Capucines, l'enchantement tout blanc (la scène est chez une lingère
à la Degas) de *Chonchette* (mêmes librettistes).
Toute une saison de Belle Epoque, Paris adopte la
« Valse du beau Linge ». Mais aux Mathurins
encore, et sur un prétexte de Franc-Nohain, 1902,
c'est aussi *La Fiancée du Scaphandrier*.

1903. — 1903, c'est tout à la fois et à ses deux
bouts, aux Capucines et avec Franc-Nohain toujours, *La Botte secrète* et *Péché véniel* avec sa

capiteuse « Valse des Péchés », des véniels et des autres, des « gros péchés mortels ». Avec celle du « Beau Linge » déjà dite, pareille valse dont la séduction n'est pas éventée suffirait à la notoriété posthume de l'auteur.

Enfin 1906, c'est *Pâris, le bon Juge* ; 1907, *L'Ingénu libertin* ; 1908, *Le Coq d'Inde* et *Le troisième Larron*. En pareils états de service une lacune se montre pourtant : 1904-1905. Mais 1904, c'est l'année de *Monsieur de La Palisse* et l'année d'avant-d'avant (non d'après), celle du *Sire de Vergy*.

Si étonnant ou si invraisemblable même que cela pût paraître, l'opérette française, la grande se trouvait alors menacée d'une crise de défaveur. En voyant les Nouveautés se convertir au vaudeville, l'Athénée verser dans la comédie et les Menus-Plaisirs s'abandonner au drame réaliste, nuance Théâtre Libre jusqu'à en devenir le Théâtre d'Antoine, Catulle Mendès n'était pas loin de s'écrier : « Apollon soit loué ! L'opérette se meurt ! Elle se meurt, elle est morte ! » Ce à quoi Fernand Samuel répondait, magnifique : « Elle vit, Dieu merci ! » et d'une vie dont il prétendait faire la preuve en lui donnant, aux Variétés, face à la Gaîté et aux Bouffes, un temple neuf. Avec magnificence et munificence, il y faisait revivre *La Vie Parisienne* et *Barbe-Bleue*, *L'Œil crevé*, *La Fille de Mme Angot* et *Le Petit Duc* ; il y montait *Le Sire de Vergy* et *Monsieur de La Palisse*.

Vergy, Sire de Couci-Couça, avant de faire manger un chaud-froid de veau à son adultère épouse au lieu du traditionnel cœur-de-son-amant, Vergy court le guilledou à Montmartre, alors qu'on le croit en Terre sainte où Gabrielle et tout le monde avec elle l'ont d'abord expédié d'un unanime : « Partez,

partez vite ! » Ce à quoi Vergy a répondu par un :
« Vos larmes, vos prières ne pourront me retenir. »
« C'est assommant, a conclu le chœur. Filez ! il
n'est que temps ! » Et de près, pareille scène en
rappelle une autre qui est d'Offenbach, tandis que
c'est à Offenbach que s'égale la fameuse valse :
« Rien n'est plus joli qu'un joli duo. Si ce n'est un
joli trio » qu'amène la caresse de la belle phrase-à-
retenir : « Sous la douceur du ciel changeant. »

De son côté, Placide de La Palisse, de sa ferme de
Touraine où, à l'abri des surprises de l'amour il
joue au premier philosophe de France, se laisse
entraîner en une Espagne à ollé ollé et à châteaux
espagnols (d'où la Valse) par une passante à ibé-
rique tempérament. Et là aussi, certain duo Inesita-
La Palisse prend place parmi les modèles du genre :
c'est celui où « amour et baiser » se remplacent par
« fauteuil et tambour ». *Vergy* rappelait *Barbe-Bleue*.
La Palisse aussi. Bref, *Barbe-Bleue* deux fois.
Et deux fois Offenbach. Mais cela, on l'avait dit
une fois pour toutes à la première des *Travaux
d'Hercule*. Comme on devait dire plus tard : « Terrasse, le Berlioz de l'opérette française. » Ceci parce
que estivalement Dauphinois et féru de chansons
dauphinoises, il n'est point impossible d'en retrouver
l'écho spirituel dans son œuvre, mais aussi par
certaine couleur un peu voyante, par certains pla-
cages sonores qui ne sont pas sans le distinguer
du premier maître de l'opérette. Sans doute n'est-il
pas loin d'avoir sa joie et son entrain, son outrance
débridée et sa pointe de sentiment : il sait le sourire
qui naît de la grâce à la drôlerie accouplée. A tout
quoi, il ajoute un nouveau jeu musical : celui que
lui impose les jeux verbaux de Franc-Nohain, ce
par quoi il ne peut que se rapprocher d'Hervé comme
il ne peut que préfigurer, d'aussi loin qu'on voudra,

le Ravel de *L'Heure espagnole*. Cependant quelque chose lui manque. Ne parlons point de la verve que Rabelais exigerait : ses cinq actes sur *Pantagruel* (Lyon, 1911) ne sont qu'une demi-réussite. Ce qui lui manque davantage peut-être, c'est une façon d'actualité. Y eut-il jamais, en musique d'opérette « musique de l'avenir » ? En sa plus neuve nouveauté, celle de Claude Terrasse était déjà quelque peu du passé ou du moins en donnait-elle injustement l'impression en les œuvres longues surtout, lesquelles sont longues en tous les sens : Claude Terrasse n'est qu'un petit maître et de petites choses. Son *Sire de Vergy* pour réussi qu'il fût, ne dépassa point cinquante soirs ; par contre nous avons dit qu'on reprenait, après plus de cinquante ans, sa *Petite Femme de Loth*.

L'année de *Pantagruel* (1911), l'Apollo montait ses *Transatlantiques* qui n'étaient pas loin de rester au port. *Cartouche*, l'année d'après, faisait long feu. Et *Miss Alice des P.T.T.* ne parvenait à donner durablement la communication au public. Il est vrai, qu'en 1911, l'Apollo n'était depuis la veille qu'à l'opérette viennoise.

On n'a jamais tout dit. Outre une petite *Sonate pour le piano* (1899) ; un *Trio humoristique* pour cordes (1913) ; *Vingt-quatre petits Préludes dans tous les tons majeurs et mineurs* (1909), lesquels enfonçaient Jean-Sébastien (ils étaient sur cinq notes !) ; outre deux *Messes* et quelques *Motets*, il faudrait encore ajouter un *Cochon qui sommeille*, opérette qui s'endormit en 1918 aux triomphants records de *Phi-Phi*, et enfin deux tentatives pour conquérir l'Opéra-Comique. Une petite avec *Les Lucioles* (1910), ballet fait de variations sur « Au Clair de la Lune ». Une grande avec *Le Mariage de Télémaque* (même année) de Jules Lemaître

et Maurice Donnay qui, avec deux reprises — celle
de 1913, celle de 1921 — totalisa cinquante représentations. Cinquante : autant que *Le Sire de
Vergy*. Ce *Mariage de Télémaque* est sans doute au
répertoire Favart une œuvre mineure, mais de tel
charme, de séduction telle que René Dumesnil
a raison de faire place à « Pour plaire à la divine
Hélène » en l'anthologie des chefs-d'œuvre de la
musique légère française.

Claude Terrasse disparaissait à Paris en 1923.

3. Ganne-Hirschmann-Cuvillier

A côté de Messager et de Terrasse, il convient de citer Louis
Ganne, Henri Hirschmann et Charles Cuvillier.

a) **Louis Ganne.** — Né à Buxeuil-les-Mines, en 1862, et mort
à Paris en 1923, Louis Ganne devait être l'élève de Théodore
Dubois et de César Franck. Comme bien d'autres, c'est par la
chanson qu'il débuta, et de circonstance : *La Czarine* fut populaire ; la *Marche lorraine* l'est encore. Après de petits ballets
aux Folies-Bergères et de petites opérettes — *La Source du
Nil* (1882), *Merveilleuses et Gigolettes* (1894) aux Folies et,
au Casino de Paris, *L'heureuse Rencontre* (1892) et *Cythère*
(1900) — il devait en donner une grande en adieu du siècle :
c'est le 30 décembre 1899, que ses *Saltimbanques* dressaient
le chapiteau de leur Cirque Malitourne sur la scène de la Gaîté.
Parade. Boniment. Acrobatie. Pistons de barrière et pleurs
vite séchés d'une Margot que Mignon, depuis longtemps,
faisait pleurer, car la Suzon de l'histoire n'est pas sans lui
ressembler. Deux pages populaires entre toutes : « Va, gentil
soldat » et « C'est l'amour qui console le pauvre monde ».
« Ainsi l'eau musicale, populaire et sentimentale, jaillit-elle
d'un puits banal et la vieille formule ne meurt pas », disait
Robert Kempf à propos d'une œuvrette ressemblant à celle-ci
comme goutte d'eau à une autre.

D'une eau certes plus pure, Louis Ganne donnait, en 1906,
un petit conte bleu suivant Maurice Vaucaire : *Le Joueur de
Flûte* ; ce joueur étant le légendaire virtuose à galoubet
purgeant la ville Milkatz non de ses rats mais de ses souris
blanches. Morceau choisi :« Vous n'êtes plus, pauvres poupées. »

b) **Henri Hirschmann.** — De son vrai nom H. Herblay,
H. Hirschmann devait, lui aussi, s'assurer deux succès, et

ceux-ci coup sur coup (1905-1906 et 1907) avec *La Petite Bohême* aux Variétés et avec *Les Hirondelles* qui d'un coup d'aile passaient des bruxelloises Galeries-Saint-Hubert à la parisienne Gaîté-Lyrique. Mais son étoile pâlissait en 1911 avec ses *Petites Etoiles*. Par contre, *La Petite Bohême* profita largement de la sympathie universelle pour Mimi, Rodolphe, Musette et leur suite. Rien n'y manque. Mimi chante déjà (ou encore) : « Je m'appelle Mimi ; de mon état je suis fleuriste », tandis que Rodolphe affirme : « Travailler dans les vers comme elle dans les roses », cela dans un de ces greniers où l'on est bien à vingt ans, avant de retrouver à l'Ermitage de Montmorency, l'escarpolette de tendres aveux : Florestan seul y manque pour la pousser en trois temps.

Du même compositeur : *La Feuille de Vigne* (1907), *La Vie joyeuse* (1910), *Les Deux Princesses* (1914) et *Charmante Rosalie* (1916), cette dernière œuvre jouée à l'Opéra-Comique.

c) **Charles Cuvillier.** — Charles Cuvillier (1877-1955) était un inconnu le soir de 1905 où le rideau des Capucines se leva sur un petit acte : *Avant-hier matin* dont le texte était de Tristan Bernard ; mais il était presque célèbre quand tombait ce rideau-là. Abandonnant son premier librettiste, il s'en attacha un autre, qui, plus tard, devait assurer plus de vingt centièmes à Yvain et à Moretti. C'était André Barde qui venait de se signaler, en 1895, par des *Chansons cruelles, Chansons douces* auxquelles Marcel Legay donnait leur musique. Avec Barde, Cuvillier écrivait *Son Petit Frère* (1906), opérette grecque au point d'annoncer *Phi-Phi* ; puis *Afgar où le Loisir andalou* (1909), *La Fausse Ingénue ou Les Muscadines* (1910), *Sappho* (1912) et surtout, en 1912 encore et à Marseille, une œuvre autrement ambitieuse : *La Reine s'amuse*, qui, la tourmente passée, devait monter à l'Apollo parisien sous le nom de *La Reine joyeuse*. Cette *Reine* précédait *Phi-Phi* de quatre jours ; et la génération qui devait fox-trotter jusqu'à l'essoufflement sur les Petits Païens devait bostonner jusqu'au vertige sur la « Troublante Volupté » de cette opérette laquelle était, à la fois, en français, *Veuve joyeuse* et *Rêve de Valse*. Cependant, comme on n'est jamais tout à fait musicien d'opérette en son pays, l'opérette la meilleure de Ch. Cuvillier pourrait bien être *Lilac Domino*, qu'il donnait, en 1922, à l'Adelphi Théâtre de Londres sans que le triomphe qu'il y obtenait lui fît passer la Manche. A Paris, Cuvillier ne donnait plus qu'*Annabella* (1924) au Théâtre Michel, *Nonnette* (1927) aux Capucines, *Boulard et ses Filles* (1929) à Marigny. Et si Emile Vuillermoz crut ne devoir parler, pour cet élève de Fauré et de Massenet,

que d'opportunisme adroit, Messager, plus indulgent ou plus
juste, rendit hommage « à ses très appréciables qualités de
fraîcheur et de grâce ».

IV. — **Maurice Yvain**
ou l'Opérette d'entre-deux-guerres
(1919-1939)

1919-1939 : vingt ans. Vingt ans ou tout au moins,
1922-1939, dix-sept : long *œvi spatium* d'un règne
imparti au « grand petit musicien » de *Là-Haut*,
l'opérette de 1922. Car en 1918 ou 1919, ce n'était
point à lui d'ouvrir le feu sur une époque qu'après
la Belle Epoque on pourrait appeler l'Epoque Folle.
La folie de *Phi-Phi* est du 13 novembre 1918.
Et *Phi-Phi* est d'Henri Christiné.

La guerre elle-même n'avait point tout à fait
aboli l'opérette. Paris avait connu, d'Henri Goublier
fils, la tricolore *Cocarde de Mimi Pinson* (1916)
et la sentimentale *Fiancée du Lieutenant* (1917),
dont les permissionnaires égarés à l'Apollo empor-
taient les faciles flonflons dans les tranchées de
la Somme ou de la Champagne.

Tout arrive cependant, même la paix. Elle arrivait avec une danse, celle à laquelle les grands
gaillards aux chapeaux de cow-boys avaient fait
passer l'Atlantique. « Je danse donc je suis » :
on devait « être » suivant la syncope du fox-trot.

1. **Henri Christiné**

Henri Christiné (Genève, 1867-Paris, 1941) était
fils d'un Savoyard français, professeur de français
à Lausanne, et c'est par le hasard d'une amoureuse
aventure que, professeur lui-même, il était venu
à la musique. A une opérette près, *Service d'Amour*
(1903), il n'avait toujours, avant 1914, donné que

quelques chansons, certaines, il est vrai, d'une grâce indéniable. Exemple : « Je sais que vous êtes jolie. » C'est *ex-abrupto*, en 1918, qu'il lui fut demandé d'écrire une opérette légère pour une salle si bien à l'abri du tir de la Bertha qu'elle s'en appelait l'Abri : il suffisait qu'elle y tînt dix soirs. La victoire aidant, elle devait, aux Bouffes, en tenir quinze cents ou davantage : le 13 novembre 1918 marque l'un des plus foudroyants succès de l'opérette. Phidias qui est Phi-Phi et son incandescente épouse ; Ardimédon et Le Pirée qui est un homme, deviennent des personnages parisiens. Et les petits modèles aussi, innocents et libertins. La foule qui, le 11, était descendue dans la rue pour l'armistice prétendit, pendant dix ans, ne plus rentrer chez elle ; pendant trois ans, elle se rua à *Phi-Phi*.

Pareil triomphe devait en déclencher un autre, qui devait d'abord s'appeler *Au Chat botté*, mais que la superstition du titre bègue fit appeler *Dédé* (1931). Il avait un interprète brûlant les planches, dansant, gambadant, gesticulant, pirouettant, sautant à cloche-pied. Après quarante ans, « Pour bien réussir dans la chaussure » ou bien « Dans la vie faut pas s'en faire » lui remet, sous l'angle voulu, le canotier sur l'oreille. Il s'appelle Maurice Chevalier.

2. Maurice Yvain

L'opérette nouveau style ou nouveau rythme dont Christiné avait donné le premier modèle de choix, ce devait être à un authentique musicien de la réaliser, syncopée, dansée et, si l'ose ainsi parler « de chambre » : peu de personnages et quelques girls. Ce musicien s'appelle Maurice Yvain.

Mieux que Parisien, Montmartrois et de famille musicienne, Maurice Yvain, élève de Louis Diémer

et de Xavier Leroux, avait dû apprendre son métier
aux Quat'z'Arts ou en certains cabarets de nuit
monégasques. Ses premières manifestations furent
des chansons à tout aller pour Chevalier et pour
Mistinguett : *Mon Homme*, *En douce*, *J'en ai
marre*, mais aussi *Billets doux* et *Le Pays du Rêve*.
Il en était là quand il s'imposa avec une petite
comédie à peine chantée ; elle ne l'était que par des
comédiens qui ne chantaient point : Jeanne Bonnet,
Jeanne Cheirel et Victor Boucher, devenu Tabou-
cher pour la circonstance. C'était *Ta bouche*, trois
actes, trois casinos, trois divorces, trois mariages
et un seul décor. Mais au lendemain de sa première,
alors que Paris commençait à fredonner, pour ne
l'oublier de si tôt, « De mon temps... » et « Ça c'est
une chose qu'on ne peut pas oublier », Henri Bidou
devait écrire ce qui suit :

Toute la fadasserie sentimentale qui fait l'ignominie du
genre a ici disparu. Il ne reste que comique et grâce vive. La
petite partition de Maurice Yvain marquera à coup sûr un
chapitre de l'esprit de l'opérette française.

Ta bouche devait être suivie de *Pas sur la bouche*
et de *Bouche à bouche*, l'avant-dernière de ces
opérettes étant qualifiée de « petit chef-d'œuvre »
par René Dumesnil. Outre les deux pages plus
haut citées, *Ta bouche* avait donné un shimmy
(Le petit amant) ; *Pas sur la bouche* donnait un
fox-trot ; *Bouche à bouche* donnait une valse.
Entre-temps, en 1925, Maurice Yvain avait
d'ailleurs écrit *Là-haut*, dont un final s'était largement imposé : « Le premier, le seul paradis, c'est
Paris. » A tout ceci, il fallait bientôt ajouter, en 1924,
La Dame en décolleté (« Lorsqu'enfin... ») ; en 1925,
Gosse de Riche (« On biaise... ») ; et puis *Un bon
Garçon* (1926) ; *Yes* (1928) avec sa Valse de l'Adieu ;
Elle est à vous (1929) avec « Pouet-Pouet » ; *Kadu-*

bec (1930) ; *Pépée* (1931) ; *Encore cinquante cen-times* (1932) — celle-ci en collaboration avec Christiné ; *Oh ! Papa* (1933) ; *Un Coup de Veine* (1934), *Vacances* (1935), etc. Il n'est aucune de ces petites œuvres qui ne témoigne de l'art de ce musicien, un art fait de goût, de tact, de mesure, de finesse, de naturel, de simplicité, d'aisance, de bonhomie, de malice — de malice et d'esprit, voire de poésie. Cet art est celui d'un musicien qui est le mainteneur d'une tradition contre l'envahissement étranger. Etranger, sans doute, le jazz ; mais ce jazz ou tout au moins la musique syncopée — one step, fox-trot, java, tango, shimmy, passo-doblo, blues — il l'incorpore jusqu'à lui assurer une sorte de naturalisation française. *Gosse de Riche* compte un septuor qui, pour être un blues, n'en est pas moins un vrai septuor. Arthur Honegger devait dire à l'auteur de ce petit livre : « Un final d'Yvain, c'est ficelé comme un final d'Haydn. Ce petit musicien est un maître. »

3. André Messager

Ce qui ne devait évidemment empêcher, en ce temps-là, deux maîtres nouveaux de se révéler tels : Reynaldo Hahn et André Messager — un Messager nouvelle manière.

En ce Carré-Marigny où l'opérette était née, Charles Garnier avait élevé un circulaire panorama qui, en 1894, était devenu music-hall, comme on commençait à dire. Transformé en théâtre, Léon Volterra le prenait, en 1925, pour y révéler un *Monsieur Beaucaire* qui avait fait courir tout Londres au Princess Théâtre. Il est vrai que ce *Monsieur Beaucaire*, qui devait passer plus tard à l'Opéra-Comique, était bien plutôt un opéra-comique qu'une opérette. Opérette par contre *La*

Petite Fonctionnaire que Messager avait donnée en 1921, au Théâtre Mogador, erreur, petite erreur bientôt effacée par une œuvre nouvelle que Sacha Guitry avait improvisée sans avoir l'air d'y toucher en quelques jours. Cela devait s'appeler *J'ai un amant* ; Yvonne Printemps affirmant qu'elle en avait deux, cela s'appela *L'Amour masqué*. Jamais Messager n'avait témoigné d'un esprit plus léger, plus primesautier qu'en cette opérette nouvelle qui en créait presqu'un genre nouveau, le genre article (ou fantaisie) de Paris, lequel ne devait n'être guère imité que par la *S.A.D.M.P.* de Louis Beydts. Tout se passait d'ailleurs comme si des conditions d'économie sonore qui lui étaient imposées avaient allégé son écriture et son inspiration, au point qu'on peut en appeler ici à Giraudoux : « En France, la révélation du génie ne se peut traduire que par un supplément non de poids, mais d'aération. » Du génie, Messager en avait. Et cette aération de *L'Amour masqué* où la musique vient, coquette, se donne, séduit, se reprend, s'échappe et joue le jeu de l'amour — et le jeu de sa race —, cette aération devait aussi marquer ses deux derniers ouvrages : *Passionnément* (1926) et *Coup de roulis* (1928). « L'important, chantait-on en celui-ci, c'est d'avoir vingt ans. » Il les eut jusqu'au 24 février 1929, son dernier jour.

Inachevé, il laissait d'après *Education de Prince* un *Sacha* qui fut terminé par Berthomieu et il alla reposer à Passy, aussi près que possible, comme il l'avait demandé, de Debussy, mais également de Fauré, lequel avait dit de lui :

Avoir osé n'être que tendre, exquis et spirituel ; avoir osé sourire seulement alors que chacun ne s'applique qu'à bien pleurer, c'est là, par ce temps-ci, une bien curieuse audace. Et c'est surtout l'affirmation d'une rare conscience d'artiste.

4. Reynaldo Hahn

Pour être né Vénézuélien, Reynaldo Hahn n'en fut pas moins, lui aussi, un compositeur parisien et un honnête homme, dans le sens d' « homme sachant vivre » que le XVIIIe donnait à ce mot. Vivre, c'est-à-dire sachant suivre le sentier du plaisir élégant et poli dont parla Pierre Lalo ; du plaisir raffiné et élégant dont parla Louis Beydts. Si ce sentier l'avait mené ou le devait mener à l'Opéra avec *La Fête chez Thérèse* et *Le Marchand de Venise* : à l'Opéra-Comique avec *L'Ile du Rêve, La Carmélite, Nausicaa* et *Le Oui des jeunes filles*, il ne l'avait pas encore mené aux Variétés, temple de l'opérette. Pour lui en faire passer le seuil, il fallut un télégramme signé de Flers et de Croisset : « Comptons sur vous pour opérette. Stop. Interprète assurée. » Cette interprète, c'était Edmée Favart. Et cette opérette, *Ciboulette*.

Sujet de bon usage : c'était un peu celui de *La Jolie Parfumeuse* d'Offenbach. Personnage ayant fait ses preuves : Ciboulette était arrière-petite-fille de Clairette Angot et, dans la trame du récit qui, des Halles d'un matin à muguet, vous conduit à une soirée à valses chez Olivier Métra, Rodolphe passait discrètement, le Rodolphe à Mimi, riche de ses souvenirs qui sont les rentes du cœur. La page sensible : « C'est tout ce qui me reste d'elle. » La page enlevée et d'emblée populaire : « Nous avons fait un beau voyage... »

Ainsi la soirée du 7 avril 1923 devait-elle être un long enchantement. Reynaldo Hahn allait avoir cinquante ans. A cet âge, Rameau commençait sa carrière ou sa vie, cette vie qu'il faut monter et non point descendre. Reynaldo Hahn devait

pourtant descendre la sienne. Un rien biographique,
l'avantageux *Brummel* ne valut point la sensible
Ciboulette, comme la sentimentale *Malvina* (1935),
ne valut point *Brummel*. Et entre *Brummel* et
Malvina, *O mon bel inconnu* (1934), pour avoir un
livret de Sacha Guitry, n'en laissa qu'une valse
exquise autant qu'il se doit, il est vrai.

Reynaldo Hahn, né en 1875, disparaissait à Paris
en 1947.

5. Louis Beydts

Louis Beydts, lui, disparaissait en 1953 ; il avait
vu le jour en 1896, à Bordeaux. Mais comment,
entre Reynaldo Hahn et André Messager, ne
faire bonne place à celui qui, ami de celui-là,
disciple de celui-ci devait écrire : « A l'œillet farou-
che de Bizet, à l'amoureuse violette de Massenet,
à la rose enivrante de Fauré, ceux-là avaient joint
le muguet de Ciboulette et le lilas de Véronique » ?
Il allait lui-même à pareille gerbe apporter une
pensée. Et de lui cette pensée choisie :

Il est musiciens dont l'inspiration a des soucis si humains
et l'art des perfections à la fois si sûres et si raffinées que leur
œuvre a l'insigne privilège de conquérir la foule en même
temps qu'elle enchante les délicats et que leur mémoire
s'épanouit ainsi en une tendresse, en une vénération unanimes.
D'autres ont pu franchir des cimes plus altières et réaliser
des ambitions apparemment plus nobles, mais il leur manque
cette adhésion que j'allais dire physique de la masse que leur
grandeur arrogante n'est parfois sans intimider. Au contraire
ce qui, chez les premiers, reste prodigieux, c'est bien que leur
infaillible savoir ne cesse jamais d'éveiller les avertis. Ils ont
su gagner, ils ont su retenir le cœur innombrable du peuple
qui conserve aux artistes l'ayant su ravir et émouvoir une
fidélité aussi touchante que durable.

Ayant fait, sous figure d'amateur, de solides
études en sa ville natale avec L. Vaubourgoin,
Louis Beydts n'avait eu qu'à débarquer à Paris

pour mettre la main sur l'un des plus délicieux prétextes d'opérette qui soient : à propos de *La Noce*, de H. Duvernois et de P. Wolff qu'avait jouée Régina Camier, Paul Reboux avait dit : « C'était là une opérette sans musique. » Cette musique, il l'écrivit sur les lyrics de Guillot de Saix et *Moineau* retrouvait, avec une élégance digne de Messager, le chemin du Tournebride et de son « escarpolette notoire ». Montée sur la scène de Marigny en 1931, c'est par contrat préalable qu'il en devait céder le plateau après trente soirs seulement. Il est vrai que le jeune compositeur trouvait une double compensation par deux autres petits ouvrages : *Les Canards mandarins* qui passaient à Monte-Carlo et la déjà citée *S.A.D.M.P. (La Société Anonyme des Messieurs Prudents)* que Sacha Guitry jouait, en ayant l'air de s'en jouer sur sa scène à lui, rue de Surène. Puis la chance tourna, son indolence naturelle y étant peut-être pour quelque chose. Cette chance, et son inspiration n'ayant gagné qu'une ride en quinze ans, il la devait retrouver, en 1946, avec *A l'aimable Sabine* où il y a — « Dors, dors, dors... » — la plus aimable des berceuses.

***

Pour *Encore cinquante centimes*, Christiné avait collaboré avec Yvain. Comme celui-ci, c'est maintenant d'année en année, qu'il va donner, en l'opérette de la saison, l'air populaire qui la marque, adoptant les danses que la mode imposait et ne les marquant que de ce qu'il fallait d'américanisme à la mode. Ce sera ainsi une valse, celle de *Yana* (1937) avec Tiarko Richepin, « On ne sait comment » ; ce sera le fox-trot, « On le dit », ou « Elle n'est pas si mal que ça » de *Madame* (1924) ; la java, « Ça

changerait » de *P.L.M.* (1925) ; le paso-doblo,
« La Savane » de *La Poule* (1936) ; le slow-fox,
« Partir » du *Temps des Merveilleuses* (1937, avec
le même Tiarko Richepin), etc.

6. Les autres

1. Raoul Moretti. — Né à Marseille, en 1893, celui-ci devait
par de solides études au Conservatoire marseillais, accéder à
l'emploi de « tapeur » à une boîte de là-bas, le Ouistiti : sa
Petite Dactylo en sortait et s'embarquait pour Salonique avec
les troupes de Sarrail. Cette *Petite Dactylo* était sa première
chanson. La suivante, *Tu me plais* devait, au lendemain de
l'Armistice, conquérir Paris et plaire même à Willemetz qui
lui offre sa chance avec *En Chemyse*, opérette bouffe et libertine à la mode de l'époque et qui suffit à le lancer. Suivent une
série de succès dans le style du premier : *Troublez-moi* (1924),
Trois Jeunes Filles nues (1926), *Six Filles à marier* (1931),
Un Soir de Réveillon (1933), *Les Sœurs Hortensia* (1934),
Simone est comme ça (1936). Ajoutons, pour mémoire, celle-ci
n'ayant pas eu l'audience des autres, *Les Joies du Capitole*
(1935), qui, ni plus ni moins que les *Joueurs de Flûte* d'Hervé,
une autre demi-réussite, était « opérette romaine à couplets
gaulois ». Moretti bien entendu fut grand fournisseur de danses
marquant l'époque. Fox-trots : « Ce sont des choses », « Ray-
monde n'est pas pudibonde » et « Quand on est vraiment
amoureux » de *Troublez-moi*, des *Trois Jeunes Filles nues* et
d'un *Soir de Réveillon*, ces deux dernières opérettes pouvant
être considérées comme ses deux « chefs-d'œuvre ». One step :
« Un millionnaire » des *Six Filles à marier*. Slow-fox : « C'est
un rien » de *Rosy*. Rumbas de *Simone est comme ça* et des *Sœurs
Hortensia*.

2. Joseph Szulc. — Pendant plus d'un quart de siècle,
Henri Szulc (1836-1903) fut chef d'orchestre à l'Opéra de
Varsovie. Comme on y fêtait ses noces d'argent avec la musique, il donnait, avec ses six fils, le *Septuor* de Beethoven et
un *Trio* de celui-ci avec l'un de ceux-là et l'un de ses petits-
fils, son préféré, Joseph-Zygmund (1875). Venu en France,
ce Joseph Szulc travaillait avec Massenet avant de sortir
du rang avec un ballet *Une Nuit à Ispahan* monté par la
Monnaie. En même temps, il donnait à l'Alhambra de Bruxelles
l'opérette *Flup* qui, la tourmente de 14 évanouie, passait à
Bataclan. Cette œuvrette était bien dans son esprit, un esprit

léger, amusant, et qui, comme sans effort, avait pris l'air de Paris. Ainsi les Capucines parisiennes montaient-elles successivement de lui *Mannequins* (1925), *Divin Mensonge* et *Couchette n° 3* (1929), trois œuvrettes qui le menaient aux Bouffes avec *Flossie*, son « chef-d'œuvre » (1929) à moins que ce ne soit *Flup* ; puis des Bouffes au Châtelet avec deux « grandes opérettes » : *Sidonie Panache* (1930) et *Le Coffre-fort vivant* (1931) ; enfin du Châtelet à Mogador avec *Mandrin* (1934) qui est sans doute sa plus ambitieuse entreprise. Encore que réussie, ne peut-on lui préférer la partition avec laquelle il revenait aux Capucines en 1945 : *Pantoufle* ?

Joseph Szulc fut un musicien dans un sens plus large qu'on ne le pourrait supposer : il gardait devers lui cent mélodies qu'on n'entendit point, mais que les initiés jugeaient exquises, alors que ce n'était que des fox-trots qu'on attendait de lui au point qu'il passait pour en être le spécialiste n° 1.

3. **Moïse Simons**. — En les années faciles de l'entre-deux-guerres, l'éventail des danses nouvelles s'était ouvert de rayon à rayon. Au vieux fox-trot était venu s'ajouter, outre le shimmy et le passo-doblo, le charleston et la buiguine ; la samba et la rumba allaient les rejoindre, celle-ci semblant appartenir en propre à Moïse Simons, natif de Cuba, auteur de *Toi et Moi* et du *Chant des Tropiques*. De ces deux opérettes, « Les grands palétuviers » et « Y a bon li doudou », qui marquèrent d'une véritable obsession le plaisir parisien de 1934 à 1938.

4. **Georges Van Parys et Philippe Parès**. — Ces deux noms, on ne peut guère les dissocier. Leurs titres : *Lulu* (1927), *L'Eau à la Bouche* (1928), *Louis XIV* (1930), *Le Cœur y est* (1931), *Couss-Couss* (1932), *Ma Petite Amie* (1937), *Virginie Déjazet* (1946). Il faudrait, à la production de ce musicien ou de ces musiciens d'une inspiration particulièrement abondante et heureuse, ajouter nombre de chansons et de musiques de films et, du premier seul, une *Belle de Paris* (1961) donnée à l'Opéra-Comique et marquant presque un genre nouveau : non sans ressemblance d'idée avec *La Vie Parisienne*, cette opérette bouffe est chantée mais aussi parlée, mimée et dansée.

*
* *

Nous avons cité Tiarko Richepin. Celui-ci est le musicien de *Venise* (1927), de *La Tulipe noire* (1932), de *Au Temps des Merveilleuses* (1934), de *Yana* (1937). Il est aussi celui de *L'Auberge qui chante* (1941), la seule opérette nouvelle qui ait été écoutée à la lumière bleue des années noires.

Vincent Scotto n'est pas seulement l'homme qui passe pour avoir écrit quatre mille chansons ; il aurait aussi signé soixante-dix opérettes, de *Suzy* (1913) au *Pays du Soleil* (1933) et de *Un de la Canebière* (1936) au *Gangsters du Château d'If* (1937), celle-ci représentant l'opérette marseillaise avec l' « assent » aliacé cher à Alibert, son interprète. D'un genre plus large, plus affirmé, *La Danseuse aux Étoiles* et ces *Violettes Impériales* qui n'auront pas exhalé moins de deux mille fois leur grisant parfum.

Justin Clérice était l'auteur de *Petites Vestales* (1900), de *Un Béguin de Messaline* (1904) et surtout, entre les deux, de *Par Ordre de l'Empereur* (1902). Edmond Gillet donnait une *Fille de la Mère Michel* (1903). Edouard Mathé, qui avait attaché son nom à un *Chien d'Alcibiade* (1904) finissait sa carrière en (1923) avec des *Linottes* inspirées par Courteline et en qui Reynaldo Hahn entendait « une façon de petit chef-d'œuvre ». Marc Berthomieu déjà cité donnait *La Belle Traversée* (1936) et *Poussin*, opérette légère (1948).

Georges Sellers après avoir versé en l'opérette marseillaise (*Au Soleil de Marseille*, 1937) devint le musicien de *Vie de Château* (1945) ; Paul Misraki de *Normandie* (1937) ; Michel Eymer de *Dix-neuf ans* (1932) et de *Quand on a vingt ans* (1936). Mireille s'essaya dans l'opérette avec *A la Belle Bergère* (1933). Gaston Gabaroche, musicien « sérieux » que Cami amena à l'opérette, en donna une demi-douzaine dont *Enlevez-moi* (1930) et *Azor* (1932). Louiguy est l'auteur de *La Quincaillière de Chicago*.

Il resterait encore Albert Chantrier, spécialiste de lestes opérettes-boîtes-à-chansons, *Ceinture de Chasteté*, *Bebel et Quinquin*.

V. — Francis Lopez ou l'opérette nouvelle vague (1945-1960)

Francis Lopez naît à Saint-Jean-de-Luz, le 16 juin 1916. Nullement destiné à devenir musicien d'opérette, il pratique d'abord l'odontologie et, par nécessité, le métier militaire. Mais certaine marche du soldat Lopez (Francis) est jugée si entraînante qu'on lui en redemande une autre. Il est blessé et le temps de son hospitalisation lui permet d'écrire une chanson. Une ou cent. Ainsi lesté, il monte vers Paris pour y retrouver un jeune librettiste marseillais, Raymond Vincy. Ils écriront ensemble *La Belle de Cadix*, première opérette de la paix : elle était donnée au Casino Montparnasse, le 24 décembre 1945. Et, pour elle, se renouvelait le « miracle » de *Phi-Phi* : on avait compté sur une dizaine de soirs ; elle en devait tenir quinze cents. Une des raisons, c'est qu'elle n'innovait point. Cependant, si son esprit et sa formule appartenaient aux opérettes d'avant-guerre, du moins se marquait-elle, avec une particulière franchise, de la sensuelle ardeur des boléros : Francis Lopez est le compatriote de Maurice Ravel.

Le triomphe de *La Belle de Cadix* ouvrait au nouveau tandem Vincy-Lopez, la Gaîté-Lyrique : *Andalousie* y doublait *La Belle de Cadix*. Et le Châtelet suivait, qui, de deux ans en deux ans, devait donner *Don Carlos* (1950), *Le Chanteur de Mexico* (1952), *La Toison d'Or* (1954), *Méditerranée* (1956), *Le Secret de Marco Polo* (1959). Et la liste n'est évidemment pas close qui s'était ouverte avec cette *Belle de Cadix*, une « opérette féerique ». « Il était une fois » une petite Espagnole et un beau jeune premier de cinéma. Il était une fois, une petite Andalouse aux seins brunis et un sémillant marchand d'alcarazas lequel, par amour, devait finir sous l'habit de lumière. Et nous voici en une plazza de toros ; mais nous serions aussi bien à Palm Beach, au Moulin de la Galette, en une posada mexicaine, en une maison de danse sévillanne, en une roulotte de la puszta, en une paillotte d'Hawaï, en un igloo de Laponie ou dans le Palais de porcelaine de l'Empereur de Chine. Où encore ? Mais en quelque château en Espagne où, féeriquement, tout concourra, comme dans Shakespeare, « à la rencontre des amants ». Cette opérette-grand-

spectacle n'était en rien une nouveauté, mais elle
prenait un équilibre, une ampleur, une diversité
nouvelle en s'adjoignant, avec les procédés modernes
de la machinerie théâtrale, les coups de théâtre les
plus sûrs du Tour du Monde en 80 Jours. Il faut
ajouter que, mieux que quiconque, le musicien
pratique ce dosage de sentimentalité-fleur-bleue,
de couleur locale conventionnelle et ce dynamisme
détonnant qui convient à certain public d'aujour-
d'hui.

Cependant, à côté de ces « grandes opérettes »,
Lopez-Vincy devaient en fournir de moindre module
et qui relèvent quelque peu du vieux vaudeville
à couplets. Exemples : *La Route fleurie* (1952) et
Tête de Linotte (1958) ; mais bien avant ces deux-ci,
c'est *Quatre Jours à Paris* qu'il faut faire passer,
quatre jours trépidants de la plus incendiaire
samba brésilienne.

Cette opérette grand spectacle n'est cependant
pas la spécialité exclusive de Francis Lopez.
Avant-guerre, Maurice Yvain avait déjà donné,
de même ampleur, *Au Soleil du Mexique* (1935)
comme il devait donner après elle, en 1946, *La
Chanson gitane*, une chanson-valse qu'on n'oublie
pas : « Sur la route qui va... ». Enfin, c'est Marseille
qui, en 1958, devait avoir la primeur de son *Corsaire
Noir* tout proche d'être un opéra-comique.

A la suite même de Maurice Yvain, il convient
au moins de citer J.-H. Rys et sa *Pampanilla* (1954) ;
G. Rey et son *Tout pour Elle* (1952) ; H. Bourtayre
et ses *Chevaliers du Ciel* (1955) ; H. Betti et sa
Maria Flora ; Jo Moutet et son *Pacifico* (1959).
Encore que pour autant l'article opérette ne soit pas
disparu : à ne pas oublier, parmi celles-ci, *Irma la
Douce*, de Marguerite Monnod (1957) d'une atmosphère quelque peu Kurt Weill ; *Les Chansons*

de Bilitis ou bien *Bilitis et l'Amour*, de Joseph Kosma ; Paul Misraki et sa *Nuit aux Baléares* (1954), Guy Lafarge enfin, qui peut faire valoir *Belamour* (1943), *Il faut marier Maman* (1951) et *La Belle Arabelle* (1956), l'une des moins douteuses réussites de l'opérette de ce temps.

Un texte :

L'opérette actuelle est rejetée par certains comme un art mineur. J'en ai souvent cherché les raisons. Il les faut trouver, je crois, dans le dédain qu'affectent, depuis quelques années, pour ce genre de spectacle, quelques-uns de nos aristarques. Cependant, s'ils voulaient nous aider et collaborer avec nous à réaliser cette forme de véritable théâtre populaire qui, n'excluant point systématiquement le délassement, devrait rassembler toutes les classes de la société.

Ce texte ou cette profession-programme est de Maurice Lehmann, directeur du Châtelet. Elle se complète de la déclaration que voici :

C'est très joli, les volcans et les tremblements de terre, mais ça coûte vraiment trop cher. Je suis le seul directeur de théâtre en France qui, sans la moindre subvention de l'Etat, entretienne deux cent quatre-vingts personnes. Il me faut donc trouver autre chose. Autre chose : une comédie musicale qui ne soit ni une opérette, ni un« show» comme on dit aujourd'hui.

Ni un show, ni une opérette. *La Polka des Lampions* dont le livret est de Marcel Achard de l'Ac. fr. et la musique de Gérard Calvi *alias* Grégoire Krettly, Prix de Rome, auteur de *Branquignol*, réaliserait-elle pareille ambition (Châtelet, déc. 1961) ? Ce serait, au moins, de grand modèle, une comédie musicale.

VI. — L'opérette des musiciens

« Il est si facile de ne pas écrire d'opéras », disait Rossini, ce qui ne l'empêcha d'en écrire au moins une quarantaine dont trois ou quatre au moins, type *Il Signor Bruschino*, pourraient bien être, nous l'avons dit, des opérettes.

Ce à quoi Debussy semble répondre : « Des opérettes ? Faisons-en donc, au lieu de nous essouffler à écrire des symphonies. » Car de son temps, la symphonie seule désignait le musicien. « Musicien, le serait-il pourtant celui qui, par principe, mépriserait l'art inférieur de l'opérette, demandait Eugène Pelletan ; celui qui, chaque jour, ne prierait Euterpe de le délivrer de la tentation d'être compris difficilement ; celui qui ne se garderait de verser en cette gravité ennuyeuse qui, au dire de Montesquieu, est le bonheur des imbéciles ? »

Au fait, d'ailleurs, ce n'est qu'aux plus grands qu'échoit çà et là le merveilleux privilège de satisfaire à la fois Ariel et Caliban. Le plus grand de ceux-ci : Chabrier.

1. **Emmanuel Chabrier** (1841-1894). — « Gai comme les pinsons et mélodieux comme les rossignols », disait Verlaine de lui, ajoutant :

> Chabrier, nous faisions, un ami cher et moi,
> Des paroles pour vous qui leur donniez des ailes.

L' « ami cher » était Lucien Viotti, délicat petit écrivain qui devait disparaître en septembre 1870 dans l'engagement de Chevilly. Et les opérettes qui s'esquissèrent en cette collaboration Verlaine-Viotti-Chabrier avaient titres *Vaucochard et Fils I*er (1863) et *Fisch Ton Khan* (1865). Dans l'esprit du musicien, c'était là « petites saletés » qui ne devaient sortir de ses cartons, encore que la seconde idée de la *Ronde Champêtre* de ses *Pièces pittoresques* soit issue de la seconde d'entre elles. Mieux : on pourrait quasi prétendre que c'était là sa veine la plus authentique et que la faiblesse de son *Roi malgré lui* (1887) — cette « lugubre opérette », disait d'Indy ; non point : cet opéra-comique le plus beau qui soit et pour lequel Ravel eut donné la Tétralogie tout entière ! — que la faiblesse majeure de son *Roi malgré lui*, c'est précisément d'avoir voulu, avec un peu trop de volontaire obstination, se refuser au genre léger. Reyer l'avait bien vu. « Ne dîtes pas non, écrivait-il. Cela se sent. Et j'entends d'ici une voix autorisée dire au pauvre musicien : Surtout, n'est-ce pas ? ne versez point dans l'opérette ! »

Vers cette époque, sans qu'il s'y fût refusé catégoriquement, Émile Bergerat lui proposa d'en tirer une du *Roman chez la Portière* d'Henri Monnier. Par contre, c'est bien plus tôt, vers 1876-1877 qu'il devait faire entendre à Leterrier et Vanloo quelques pages de sa façon et que ces deux librettistes lui confièrent les deux actes de *L'Etoile*. Ceci d'après le récit du second d'entre eux :

Chabrier était lié avec Manet qui avait rencontré Hirsch, et Hirsch l'avait invité chez lui. Là, devant la paire d'amis que nous étions, Chabrier avait chanté à sa façon, c'est-à-dire irrésistiblement, ce qui devait devenir « O ma petite étoile » et « Le pal, de tous les supplices le principal ». Or, nous terminions alors, Leterrier et moi, une petite farce originale à laquelle ces deux pages-là devaient aller comme un gant.

Originale pourtant, cette histoire l'était assez peu, n'étant sans ressembler au *Grand Mogol*, ce qui n'était point pour déplaire à Chabrier : il adorait Lecocq et Offenbach. « Donnez-vous la peine de vous asseoir » vient en droite ligne du « Roi barbu qui s'avance »...

Les trois actes de *L'Etoile*, Chabrier ne devait mettre que quatre semaines à les bâcler ; on en mît cinq à les porter à la scène et ils en tinrent sept. Ce n'est pas parce que Paola Marié la jugea trop difficile, ni parce que l'orchestre fut d'abord prêt — évidemment — à la déclarer injouable (« Mon Dieu ! J'ai pourtant fait aussi simple que

possible ») qu'elle n'en connût davantage : il
semble que la direction des Bouffes avait hâte,
par contrat, de passer à une œuvre qui ne fût point
un chef-d'œuvre. Du moins, avec sa cinquantaine
de représentations, l'avait-on jugée telle. Elle
faisait sortir du rang un compositeur qui, pour
grand qu'il fût, n'avait été jusqu'alors considéré
que comme un amateur plus ou moins distingué.

Un chef-d'œuvre, c'en est un d'effusive poésie
(« Couplets de la Rose ») ; un de paroxysme bouffon
(« Air du Pal »), un de titubant humour (Duo de la
Chartreuse verte — parodie d'une ariette de Donizetti qui, paraît-il, faisait rire Debussy aux larmes).
Bref, un chef-d'œuvre trois fois. Et un chef-d'œuvre
tout court. La critique du temps déjà devait dire
« que la musique en était bien trop jolie pour le
genre ». Et R. Hahn :

> Cet ouvrage légendaire doit être cher et sacré à tout vrai
> musicien. L'Etoile est une perle fine de l'opérette française.
> La bouffonnerie poétique d'un autre Offenbach s'y enveloppe
> et s'y pare d'une grâce, d'une élégance, d'une richesse musicale
> dont le génie de ce dernier n'eût jamais ni le souci, ni même
> le soupçon.

L'Etoile, créée aux Bouffes le 28 novembre 1877,
reparaissait, en 1925, au Théâtre de l'Exposition
des Arts décoratifs. Elle entrait à l'Opéra-Comique
en 1941 pour y connaître une première reprise
en 1946. On attend la suivante.

A cette opérette étoilée, Chabrier en ajoutera une
autre, le 1er mai 1879, pour une soirée du Cercle
de la Presse ou Club des Mirlitons, une opérette
de paravent celle-ci, précieuse, malicieuse : L'Education manquée, où débutait, sous le travesti d'un
amant... maladroit, une jeune chanteuse trop peu
remarquée dans La Petite Mariée : Jane Hading.
« Chabrier balayait, dit Francis Poulenc, le libretto,

un rien niais, du plus pur style boîte à bonbons Louis XV, jusqu'à faire de cet acte sans prétention une page signée de la main d'un maître — d'un vrai. » *L'Education manquée*, perle authentique à qui vingt épigones dérobèrent des reflets, fût reprise au Théâtre des Arts, en 1913 ; elle entra à l'Opéra-Comique en 1938.

Enfin Chabrier songea un moment à faire un *Panurge* avec Raoul Ponchon. « Que ne l'a-t-il fait ! dit P. Lalo. C'eût été son chef-d'œuvre, et il existerait un chef-d'œuvre de musique bouffe. »

2. **Georges Bizet.** — C'est, nous l'avons dit, au Concours des Bouffes de 1857 que Bizet, alors à la veille d'entrer en loge pour le Prix de Rome, se trouva en compétition avec Lecocq : son *Docteur Miracle* aura onze représentations à quinzaine des onze représentations de son amical émule. Dix ans plus tard, en 1867, il écrira encore pour l'Athénée, l'un des quatre actes d'un *Malbrough s'en va-t-en guerre* dont Jonas, Legouix et Delibes écriront les trois autres.

3. **Léo Delibes.** — En 1855, Jules Moinaux apportait à Hervé une « asphyxie en 1 acte » *Deux Sous de Charbon*, et Hervé traversait le Boulevard pour aller l'offrir à un jeune de dix-neuf ans qui, depuis la veille, était répétiteur au Théâtre Lyrique de Carvalho, Léo Delibes. L'œuvrette réussit. D'autres réussirent davantage : elles furent quatorze en quinze ans. Les plus plaisantes : *L'Omelette à la Follembûche* (1859) — et non « à la Folle Embûche » ! —, *Le Serpent à Plumes* (1864) et le piquant *Ecossais de Châtou* (1869), trois œuvrettes qui firent les beaux soirs des Bouffes. Aux Variétés et la même année que *L'Ecossais* parut l'importante *Cour du Roi Pétaud*, la première grande partition de Delibes, grande au point qu'elle le fit nommer, lui aussi,

le roi du genre, comme si ce n'avait été Offenbach
seul, Offenbach dont lui, Delibes termina la toute
dernière « petite opérette », *La Belle Lurette* :

> Adieu, ami. Adieu-bonsoir.
> On va souffler la chandelle.

Après *La Cour du Roi Pétaud*, Delibes devait
s'échapper vers l'Opéra-Comique avec *Le Roi l'a
dit, Jean de Nivelles* et *Lakmé*; et en même temps vers
l'Opéra avec *La Source, Coppélia* et *Sylvia*. Mais ce
sont là des œuvres qui ne sont pas sans traces d'opérette : petit Quintette de l'Acte I de *Lakmé* : « Ah !
Beau faiseur de système » ; ensemble du Premier Acte
du *Roi l'a dit* : « Quel honneur pour la famille ! »

4. **Jules Massenet.** — Le « jeune maître » qui de
la veille était celui des *Erynnies* donnait, en 1874,
au Cercle de l'Union Artistique, un *Adorable Bel
Boul* (et non une adorable Belle Poule comme on
l'imprima parfois, en la confondant à un adjectif
près avec une œuvrette d'Hervé). Puis en 1876,
le maître tout court qui allait être celui du *Roi de
Lahore* donnait, de même façon, un *Bérangère et
Anatole*. Ces deux « petites choses », il devait expres-
sément défendre qu'on les éditât, même en frag-
ments. Cependant le Diable de sa *Griselidis* ne
pourrait-il témoigner que, s'il l'eût voulu, il aurait
pu, comme un autre, se faire un nom « à la Messager » ?

5. **Camille Saint-Saëns.** — En la mesure même
où Messager y collabora, la *Phryné* de celui-ci (1893)
est mieux qu'un opéra bouffe : une opérette.

6. **Vincent d'Indy.** — C'est en 1922 que le musicien de *Fervaal* entreprît un *Rêve de Cinyras* qui ne
fut pas sans « follement l'amuser », encore qu'il ne
dut verser qu'un ennui distingué en 1929 aux
spectateurs de la Petite Scène de X. de Courville,

son librettiste, où il finit par échouer après la plus insistante et la plus décevante prospection des théâtres à côté. Ils étaient, ces spectateurs, dans l'incapacité d'admettre, dit Léon Vallas, « qu'un compositeur sérieux écrive une opérette parodiant Bach, Beethoven, Verdi, Wagner, Gounod, Rouget de l'Isle — et lui-même ! ». Cependant, d'après Léon Vallas toujours, *Le Rêve* offre des pages qui ne sont nullement indignes du musicien de *Fervaal* lequel avait d'ailleurs commencé par être celui de *Attendez-moi sous l'Orme*, une façon d'opérette.

7. **Gabriel Pierné.** — C'est en 1934 que G. Pierné donnait, au Théâtre lyrique de la Porte-Saint-Martin, son *Fragonard*, petit chef-d'œuvre d'une exceptionnelle grâce mélodique qui, en 1946, devait entrer à l'Opéra-Comique.

8. **Maurice Ravel.** — Le « premier Ravel » dut trop à Chabrier et l'autre lui garda trop admirative révérence pour n'avoir eu l'idée ou le dessein d'une opérette. Il en eût même le projet avec Bousquet, « et dans un sens un peu pirandellien », confiait-il à l'auteur de ces pages. Mais qu'est-ce donc que *L'Heure espagnole* se demande René Dumesnil (*Histoire de la Musique*, t. V, p. 289) sinon « une pure opérette construite paroles et musique selon la tradition du genre » ? Et lui-même ne prétendit-il que le souvenir de certaine opérette américaine n'était pas étranger au second acte de *L'Enfant et les Sortilèges* ?

9. **Xavier Leroux.** — Entre *Le Carillonneur* (1913) et *Les Cadeaux de Noël* (1915), X. Leroux donne, à l'Apollo, *La Fille de Figaro*.

10. **Antoine Mariotte.** — Entre *Le Vieux Roi* (1911) et *Esther, princesse d'Israël* (1925), A. Mariotte donne, au Trianon-Lyrique, *Léontine Sœurs* (1924).

11. Arthur Honegger. — C'est en 1930 qu'A. Honegger devait, pour des raisons ne relevant pas toutes de la seule musique, écrire *Le Roi Pausole.* Et sa partition, pour évoluer autant qu'il l'affirmait « en un style Mozart alerte et mélodique », n'en dégage pas moins un air d'incontestable vertu assez peu conforme au sujet. Le dédicataire en était...

12. Fernand Ochsé, auteur d'une *Chouchette* qui passe « pour un menu petit chef-d'œuvre ». Et Honegger devait récidiver en collaborant avec...

13. Jacques Ibert pour *Les Petites Cardinal* (1938), spirituelle parodie de l'opéra traditionnel dont cet Ochsé devait être le décorateur de subtile imagination. Mais d'avance, depuis 1927, J. Ibert était l'auteur d'une *Angélique* — opérette ? opéra bouffe ? — qui est l'une des réussites majeures de la musique légère de ce temps.

14. Albert Roussel. — « Je me repose du *Quatuor* avec l'opérette », écrivait A. Roussel en 1936. Cette opérette ou cet opéra bouffe sur lequel il fondait d'assez incompréhensibles espoirs, c'était son *Testament de Tante Caroline* (1936).

***
* ***

Opérette. Opéra bouffe

Sans doute parmi les œuvres citées y en a-t-il qui sont plutôt ceci que cela. En ce qui suit, la muse de l'opérette reconnaîtra les siennes.

Erik Satie : *Pousse l'Amour* (avec M. de Féraudy) représenté sous le titre de *Coco Chéri* à Monte-Carlo en 1913. Puis :

Georges Auric : *Sous le masque* (1923-1924). Francis Poulenc : *Les Mamelles de Tirésias* (1944), pour lesquelles il avoue avoir « beaucoup pensé à *L'Etoile* ». Henri Sauguet : *Le Plumet du Colonel* (1924), *Un Amour du Titien* (inachevé) et *La Contrebasse* (1930). Germaine Tailleferre : *Il était un petit navire* (1951). Manuel Rosenthal : *Les Bootleggers* (1933) et certaine triomphante *Poule Noire* (1937). Maurice Thiriet :

La Véridique Histoire du Docteur (1937). Marcel DELANNOY :
Philippine (1937). Claude DELVINCOURT : *La Femme à Barbe*
(1938). Jean WIENER : *Les Taureaux* (1949). Pierre PETIT :
La Maréchale Sans-Gêne (1948). D. E. INGELBRECHT : *Virage
sur l'Aile* (1956). Henri MARTELLI : *Le Major Cravachon* (1958).
Henri BARRAUD : *Lavinia* (1961). Henri TOMCSI : *Princesse
Pauline* (1962). Eugène BOZZA : *Beppo* ou *La Farce du Mort
dont personne ne voulait* (1946) dont le livret est signé du même
nom que ce petit livre.

Enfin, si Darius Milhaud n'a, à son catalogue, qu'une
« opérette chorégraphique » *Le Train bleu* (1924), Jean Rivier,
à défaut d'une opérette tout court — et ceci à moins que sa
Vénitienne (1937) n'en soit une — Jean Rivier est l'auteur
d'une *Ouverture pour une Opérette imaginaire* (1931).

CHAPITRE II

L'OPÉRETTE VIENNOISE

Vienne, c'est la valse : c'est par une valse, par la présence ou l'obsession d'une valse ou de la Valse que l'Opérette viennoise se distingue des autres.

Du commencement à la fin, il flotte une valse obsédante, caressante, persistante, entraînante, languissante, et c'est toujours la valse, même quand ce n'est pas elle qu'on entend. Elle succède aux autres valses qui se mêlent à elle. Elle ne s'efface que pour reparaître. Elle se transforme, se déforme, se reforme, tantôt lente, tantôt vive, tantôt voluptueuse et douce, tantôt criarde et brutale, confondue avec les autres airs, les soulignant, les animant, les dominant. Et pareil procédé qui d'abord impatiente, qui exaspère ensuite, finit par s'imposer, par provoquer une façon de vertige physiologique sinon par dégager une sorte de poésie.

L'opérette dont parle ainsi Reynaldo Hahn, c'est le *Walzertraum*, le *Rêve de Valse*, d'Oscar Straus (1907) ; mais ce pourrait être aussi bien *La Veuve Joyeuse*, de Franz Lehar (1905), voire tout aussi bien encore *La Chauve-Souris*, de Johann Strauss (1874). Entre ces deux dernières, il y a donc trente ans ou tout comme. Franz Lehar pourtant rejoint rythmiquement Johann Strauss, comme spirituellement la grisante valse *Lippen sweigen* de l'opérette leharienne contrepointe la valse enlaçante *Du und du* de l'opérette straussienne.

Ceci avec une nuance qu'on précisera plus loin.

I. — Johann Strauss ou l'Opérette 1870

1. Johann Strauss

Johann Strauss Ier (1804-1848) aurait été sans
conteste possible le Prince de la Valse s'il n'y avait
eu Josef Lanner (1801-1843). Devant une danseuse
à engager, Lanner, à ce qu'on disait, sollicitait
l'honneur d'une valse ; Strauss l'exigeait.

Mais s'il admettait encore un concurrent ou un
rival, il ne voulait à aucun prix d'un successeur, et
il fallut que le destin s'en mêlât pour que son fils
reprenne son archet et sa plume. La première valse
de celui qui devait être Johann II, *Sinngedichte*,
est de 1844 ; en 1870, il en avait écrit plus de trois
cents : *Neu Wien* est son op. 340. Certes, il ne prétendait pas en rester là, mais il semble bien que
l'idée d'écrire une opérette, une opérette valsée
bien entendu, n'avait fait que l'effleurer. Il fallut
d'abord pour l'y décider que le Carl Theatre montât,
en 1858, *Le Mariage aux Lanternes* et que Jacques
Offenbach lui-même, à Vienne, insistât auprès de
lui. Ce n'est pas trop dire d'ailleurs qu'Offenbach
fut l'inventeur de l'opérette viennoise ; ainsi, en 1920,
certain E. Rieger pouvait-il consacrer une petite
étude à *Offenbach und seine Wiener Schüle*. Désormais, il n'y fallait plus qu'une occasion. Max
Steiner, en devenant directeur du Théâtre An
der Wien, celui où avait été créé le Fidelio de
Beethoven, devait la lui offrir. Ce qui explique
déjà comment l'opérette, pour peu qu'elle soit
bonne, ignore à Vienne cette subalterne voire
honteuse condition de parente pauvre qu'elle
connaît autre part : c'est sans déchoir que les
interprètes qui ont été la veille la Pamina ou le
Tamino de la *Zauberflöte* y sont la Rosalinde ou le

Gabriel von Eisenstein de la *Fledermaus*. Ce Max
Steiner avait monté un petit vaudeville avec des
valses que tout le monde connaissait si bien qu' « elles
coulaient comme eau claire » (le mot est de lui),
et le succès avait été tel qu'il leva les dernières
hésitations du musicien. Il mit en musique des
Joyeuses Commères qui avaient déjà servi à Suppé
mais qui, par suite d'une invraisemblable compétition d'interprètes, ne devaient jamais voir les feux
de la rampe. Du moins, cela avait-il donné à
Johann Strauss le goût d'en écrire d'autres. Il en
est de lui une vingtaine. Six sont connues. Une est
célèbre.

1. *Indigo und die vierzig Rauber* (1871) devenu
plus tard *Les Mille et une Nuits* quand, en 1906,
l'œuvre fut remaniée par Reiterer, sur un livret
que l'on prétendait au moins dû à quarante librett-
tistes-voleurs, tant il paraissait décousu ou démar-
qué. A souligner d'ailleurs que Strauss, à l'inverse
d'Offenbach, se soucia toujours fort peu de ses
livrets : l'histoire (ou la légende) nous le montre
musiquant sa *Nuit à Venise* sans l'avoir lue !
Indigo devait passer, en 1874, à la Renaissance et
fournir sous le n° 346, une valse célèbre à son
Catalogue : *La mille et unième*.

2. *Der Karneval in Rom* (1873) d'après le *Picco-
lino* de V. Sardou, qui devait être mis en opéra-
comique français par Ernest Guiraud (1876).

3. *Der Fledermaus* (1874), la célébrissime ou
l'incomparable *Chauve-Souris*. En 1861, Meilhac
avait donné, au Vaudeville, une pièce intitulée
Le Réveillon, pièce pour laquelle il s'était déjà
inspiré d'un acte allemand aussi oubliable qu'il se
peut : *Das Gefängnis* de R. Benedix. La légende,
à moins que ce ne soit cette fois l'histoire, nous
montre Strauss l'écoutant pour s'écrier à la chute

du rideau : « Voilà le sujet qu'il me faut ! » La
simple vérité, c'est sans doute que Max Steiner
s'était assuré les droits d'adaptation et qu'il dût
même insister pour que le musicien consente à s'y
intéresser : traduite et adaptée par Haffner et
Genée, il ne lui fallut, paraît-il, que l'ivresse à
tokay de trente nuits pour en parfaire la partition.
Et cependant sa première à Vienne, le 5 avril 1874
(1874 : l'année de *Boris Godounoff*) ressembla fort
à un four : c'est que cette date correspondait à un
de ces mouvements de Bourse qui font qu'une salle
de spectacle est partout ailleurs qu'à une comédie
si plaisante soit-elle : après quinze soirs, *La Chauve-
Souris* s'installait à Berlin où elle en tenait trois
cents. Dès lors, elle n'avait plus qu'à rentrer à
Vienne, où seul le fameux critique Hanslick devait y
entendre « un vague pot-pourri de polkas et de
valses-requiem ». D'ailleurs, entre temps, deux cents
scènes allemandes l'accueillaient, et une française,
celle de la Renaissance sous le titre de *La Tzigane*.
Enfin, si son auteur eut la joie de la voir rentrer
triomphalement le 28 octobre 1894, et dirigée par
Gustave Mahler, à l'Opéra de Vienne, il n'eut pas
celle, toujours escomptée, d'en voir le triomphe
réel en France : c'est le 2 avril 1904 seulement que
celui-ci s'affirma aux Variétés.

A Meilhac et Halévy, Offenbach disait : « Assurez-
moi la première, je me charge de la centième. »
Or le livret de *La Chauve-Souris* est capable
d'assurer bien plus que la première et bien plus
que la centième, la musique. L'exception confirma
la règle : il est, ce livret, excellent en son habile
mélange de doux charme viennois, de mirobolant
esprit parisien et, en fine pointe, de la tendre émotion
qu'il faut. Ainsi pour un Viennois, sa *Fledermaus*
représente-t-elle cette joie viennoise de vivre sans

laquelle, à Vienne, la vie — alors — ne valait d'être
vécue. On a parfois comparé le jeu de scène de son
Acte III, celui de la prison, avec celui de Beckmes-
ser des *Maîtres Chanteurs* : il suffit pour moins
sourire de pareil rapprochement de se souvenir que
Wagner jugeait Strauss « la tête la plus musicale
qu'il connût ». Et quant à sa valse, elle a donné
son élan à l'autre Strauss (Richard) pour l'opérette
qu'est son *Rosenkavalier*.

4. *Cagliostro in Wien* (1875) qui, sous le titre
de *Cagliostro* (op. 370), a fourni une valse célèbre.

5. *Das Spitzentüch der Kœningin* (1880), dont la
valse, sous le titre de *Rosen aus dem Suden* (op. 388) dégage toujours son enivrant parfum de roses d'Orient.

6. *Eine Nacht in Venedig* avec sa *Lagüner
Walzer* (op. 411) qui est un peu le négatif de la
Barcarolle des *Contes d'Hoffmann*.

Ces deux derniers ouvrages étaient avec livrets
de Zell et Genée en lesquels Strauss n'était pas sans
trouver son Meilhac et son Halévy. Mais à ces
ouvrages-là et aux précédents, il semble qu'il
faille en opposer un dernier qui, pour avoir eu un
succès presque comparable à celui de *La Chauve-
Souris* ne peut être mis sur le même plan musical
qu'elle : il s'agit du *Zigeunerbaron* (1885) dont le
livret, avec une versification approximative, n'of-
frait qu'une action décousue et dont la musique ro-
mantique, romanesque — on a dit rocambolesque —
était loin de typer les personnages avec le relief
qu'ont ceux de *La Chauve-Souris*. Du moins devait-il
en rester l'inévitable valse : « Zo wall fröhlichkeit. »

Il devait rester moins encore des opérettes suivantes qui témoignent d'une verve appauvrie,
voire tarie par instant : *Ritter Pazman* (1892),
Furstin Ninetta (1893), *Der Waldmeister* (1895) et
Die Gottin der Vernüft (1897). La dernière, celle-ci :

Johann Strauss disparaissait avec le siècle, le 3 juin 1899, et dans une dernière valse : « Schöne, wilde Jugendzeit ! » Et elle marquait la dernière sortie au théâtre de son ami Brahms qui n'y pût assister jusqu'à la fin.

La dernière opérette, cette *Déesse Raison* ? Pas tout à fait, puisque le 25 octobre de cette année-là, paraissait aux feux de la rampe un posthume *Wiener Blüt* qui, en compilation d'Adolf Muller, et sur un fond de Congrès s'amuse (ou de Congrès qui danse) faisait passer un Comte Ipstein-Grindel-bach ressemblant au Baron Tzigane et une Gabrielle qui n'était pas sans avoir des traits de la Comtesse de la *Fledermaus*. Du moins, en restait-il une valse et l'une des plus belles : celle de son op. 354. Or, le livret de cette opérette ultime était de Victor Léon et de Léo Stein, qui devaient être les librettistes de *La Veuve Joyeuse*. Ainsi se nouait la chaîne.

De Johann Strauss, nous avons au moins cité neuf opérettes. Preuve par neuf. Ou preuve par deux. Car deux d'entre elles firent carrière international. Et l'une, *La Chauve-Souris* pourrait suffire à sa gloire comme à celle de l'opérette viennoise elle-même. Si la valse de *La Chauve-Souris* enchaine son pas à celle de *La Veuve Joyeuse*, elle tend la main davantage au *Beau Danube bleu* qui est Vienne elle-même.

P.-S. — Il eût été invraisemblable que Joseph à son tour n'ait voulu imiter son grand aîné. Il le fit avec *Die Schwalben aus dem Wienerwald* (1906).

Empereur de l'opérette viennoise, Johann Strauss en serait-il aussi le père ? Mais en art la recherche de la paternité n'est jamais interdite et tout se passe comme s'il devait partager ce titre avec Franz Suppé. En 1874, alors qu'on nommait volontiers Vienne le petit Paris du Danube, sa *Chauve-Souris* l'avait fait surnommer l'Offenbach danubien ou germanique. Mais en 1862 — douze ans plus tôt — on en avait dit exactement autant du Suppé de *Zehn Mädchen und kein Mann*.

2. Franz Suppé

Depuis au moins deux générations, les Suppé avaient quitté leur Belgique d'origine pour s'installer à Crémone, mais c'est à Spalato, dans un yacht amarré devant cette ville blanche de l'Adriatique que devait naître, le 18 avril 1819, Francesco Ezechiel Ermenegildo Cavaliere von Suppé-Demelli. Sa famille cependant avait en outre des attaches à Zara où il devait décrocher en sa quinzième année, ses deux premiers succès : aux Franciscains de la ville une *Messe* qui pourrait bien être la *Messe Dalmate* figurant à son Catalogue, et dans un salon de la cité une avant-première opérette, *Der Apfel*. L'année suivante, son père disparaissait ce qui obligeait sa mère à se fixer à Vienne. Or, Vienne était alors à Donizetti, qui, en 1842, y faisait entendre sa *Linda da Chamouni*. Et ce serait ce maestro qui lui aurait définitivement fait abandonner les études du Code pour celles de la musique. Il les poursuivait avec un compositeur ayant alors grande réputation : Ignaaz von Seyfried, élève d'Haydn, était l'auteur de deux opéras bibliques, *Saül* et *Abraham*. Ainsi Suppé devint-il un musicien « sérieux », ce qui ne l'empêchait d'être attaché au Josefstadt Theatre comme chef d'orchestre, voire comme arrangeur de « possen », façon de vaudevilles populaires : il en aurait écrit pour son compte près de deux cents, dont deux essentiellement parodiques, *Tannenhauser* et *Lohengeld oder die Jungfrau von Dragant*. La valse manquait-elle en ces œuvres mineures ? Elle ne manqua point en tout cas dans *Das Pensionnat* (1860), qui alliait chaleur italienne et charme viennois. Mais déjà il avait donné un *Paragraph 3* (1858), qui lui avait apporté la notoriété, tandis que ses *Zehn Mädchen und kein Mann* (1862) lui assuraient une sorte de gloire. Cette dernière opérette n'était pas loin d'imposer un genre, le sien, qui est mélange de refrains populaires, de chansons estudiantines et de Wienerländler. A noter que ces *Zehn Mädchen* étaient, à quatre près, d'après les *Six Demoiselles à marier* auxquelles Delibes avait déjà, en 1856, fait musicalement la cour. Et dès lors, du Josefstadt Theatre au Theâtre de Leopoldstadt, du Quai ou du Carl Theatre au solennel An der Wien, il n'y a plus qu'à se laisser porter par le succès. Succès, *Flotte Bürsche* (1863) qu'on traduit par *Cadets de la Marine* et qui, avant telle Ouverture de Brahms, s'ouvre par des Studentenlieder. Succès, *Pique Dame* (1864) et *Banditenstreiche* (1867) avec entre eux — ce qui est une indication — un *Franz Schubert* (1865) faisant bel et bien état de cinq mélodies du musicien de la *Marguerite au Rouet*.

Sans doute la révélation de la *Fledermaus* faillit-elle bien un instant compromettre la fortune de Suppé. Mais il était homme et compositeur à parer le coup ; n'ayant guère écrit que de petites opérettes, il allait en composer deux grandes, élargissant sa manière, étoffant ses harmonies jusqu'à ne point leur refuser certaines conquêtes alors toutes neuves d'un Franz Liszt. Et ces deux succès, ces deux triomphes devaient incontinent l'aligner sur son grand émule. Ce sont *Fatinitza* (1876) et *Boccaccio* (1879). Par leurs sujets, ces deux œuvres sont françaises : *Fatinitza* s'inspire d'une *Circassienne*

de Scribe mise en musique par Auber et sortant du
Faublas de Louvet de Couvay; *Boccaccio* n'était
autre que le *Boccace* de Bayard et Beauplan, donné
au Vaudeville en 1853. Raison suffisante pour que ce
soient là les deux œuvres de lui que la France devait
adopter, la première aux Nouveautés, en 1879; la
seconde, en 1882, aux Folies-Dramatiques.

Ceci dit, peut-on y voir des opérettes viennoises ?
Sans doute l'indispensable valse ne leur manque-
t-elle pas, sans toutefois cette chaleur sensuelle
que Johann Strauss était seul capable, disait-on,
de lui infuser ; mais, en plus, le lyrisme de Suppé
passait pour plus italien que viennois : on le voulait
rattacher à celui des frères Ricci (voir plus avant :
l'Opérette Italienne). Par contre, le savoir de Suppé
n'était certes moindre — au contraire — que celui
de Strauss. Le Quatuor du premier acte de *Fatinitza*
le prouve et tout autant l'Octuor du Poirier enchanté
dans *Boccaccio*.

On ne peut dire que *Boccaccio* et *Fatinitza* soient
aujourd'hui encore dans toutes les mémoires. Deux
Ouvertures y restent, *Leichte Kavallerie* (1866) et
Dichter und Bauer, *Poète et Paysan*, l'une des pages
le plus universellement populaires de la musique
légère : elle fut transcrite pour soixante combinai-
sons d'instruments ; et si elle n'est plus au répertoire des juke-boxes, elle le fut un demi-siècle
durant à celui des appareils à sous, des limonaires
et des orgues de barbarie. Comme elle est, aujour-
d'hui encore, au catalogue des disques.

Suppé mourait en son château de Gars, le
21 mai 1895.

3. Karl Millöcker

Avec sa trentaine d'opérettes étalées de 1845
à 1895 — un demi-siècle tout juste — Franz Suppé

est donc, en brillant second de Johann Strauss, le maître de l'opérette viennoise. Mais tout se passe comme si ce titre devait, à son tour, être mis en compétition par Karl Millöcker (Vienne, 1842), dont le *Bettelstüdent* (traduisez *L'Etudiant pauvre* ou *Le Prince vagabond,* au choix) est cependant de 1882. De ses douze opérettes allant de 1879 à 1896, celle-ci seule, d'après un vaudeville de Scribe, devait avoir un écho outre-frontières : en 1883, Berlin l'applaudissait pendant une longue année ; et en 1891, Paris, au Vaudeville, une longue saison. Enfin, à ce *Bettelstüdent* échut aussi l'honneur d'entrer, en 1936, à l'Opéra de Vienne.

Devenu en 1869, comme Franz Suppé, chef d'orchestre au Theatre An der Wien, Millöcker donnait encore une *Grafin Dubarry* (1877) ; une *Jungfrau von Belleville* (1891), d'après Paul de Kock ; un *Gasparone* (1895) ; un *Arme Jonathan* qu'Albeniz lui-même ne méprisa pas de compléter en 1893 ; un *Nordlicht* (1896) enfin. Et cette Lumière du Nord marquait le dernier rayon de son talent. Il ne devait jamais retrouver l'inspiration de son *Bettelstüdent* dont le « Ach ! Ich hab ja nur auf die Schülter gekust » fut une de ces mélodies qui restèrent longtemps sur tous les pianos, qui vécurent longtemps sur toutes les lèvres. Elle y était encore lorsqu'à la fin du siècle, en même temps que lui, le 31 décembre 1899, son auteur disparut.

II. — Franz Lehar ou l'Opérette 1900

C'est à trois jours près seulement que, cinq ans plus tard, le 28 décembre 1905, devait s'ouvrir avec la *Lustige Witwe* le nouveau siècle de l'opérette viennoise. Et celle-ci est de Franz Lehar.

En 1900, Franz Lehar atteignait la trentaine et

aussi Oscar Straus, homonyme (à un s près) de Johann. Cet Oscar Straus était né à Vienne, le 6 avril 1870 ; Franz Lehar le 30 du même mois et de la même année, à Komorn (Hongrie). Et même si l'on prouvait que Léo Fall surclasse un de ces deux musiciens-là, ce serait encore à Franz Lehar d'occuper, par son importance, la première place.

1. Franz Lehar

L'armée de Masséna qui, en 1799, battait Souvaroff devant Zürich aurait eu un transfuge du nom de de Le Harde et celui-ci, devenu Lehar, aurait été le grand-père du chef de musique qui, en 1870, tenait garnison à Komorn-sur-Danube. Là, de mère hongroise, naissait donc le 30 avril, celui qui devait devenir le musicien de la *Veuve Joyeuse*. Mais il ne faisait qu'y naître : son père en était alors à faire tous les bourgs des domaines de François-Joseph : Presbourg, Odenbourg, Karlsbourg, Klausenbourg, mais aussi Pesth, Sarajevo, Prague enfin, où, en 1884, le jeune Franz se mettait au violon. Ceci pour peu de temps, Dvorak lui conseillant « de pendre au plus tôt son instrument au clou et de se mettre à la composition », tandis que le lendemain à Vienne, Brahms se penchait sur ses premiers essais. Entre-temps versé comme musicien au 50e d'Infanterie, il y trouve en voisin de pupitre le Léo Fall déjà cité. De ce pupitre, c'est d'ailleurs sans retard qu'il accède au trépied du chef. Marine-kapellmeister à Pola, la brise de l'Adriatique lui apporte les échos tout neufs de *Cavalleria Rusticana* (1890). A la Mascagni, il écrit alors un *Rodrigo* qui ne réussit pas ; puis une *Kukuschka* (ou plus euphoniquement une *Tatjana*), qui réussit au point que de Leipzig et de Pesth (1896), elle passe à Brno

et à Vienne (1905). Entre-temps, en 1900, Franz
Lehar est devenu Militarkapellmeister à l'Infanterie
Regiment n° 26 et de là chef d'orchestre au Théâtre
An der Wien où d'emblée il trouve sa voie : l'opérette. Des opérettes, il en donne deux en 1902 :
Wienerfrauen et *Der Rastelbinder* ; puis deux
en 1904 : *Der Gottergätte* et *Juxheirat*. La première
de celles-ci comprend certaine Valse du Paradis
qui fait fortune. Compte-t-elle cependant à côté
de certaine Gold und Silber Walz écrite pour la
redoute argent et or par laquelle la Princesse Met-
ternich avait voulu clore le siècle ? Tout en or
pur, cette valse franchissait l'Atlantique, mais
c'était pour revenir de là-bas populaire.

Des quatre opérettes nommées, la deuxième et
la troisième avaient eu pour librettistes Victor
Léon et Leo Stein : ils allaient être le Meilhac et
l'Halévy du musicien. En 1861, Meilhac avait donné
à Paris, certain *Attaché d'Ambassade* qui avait
fort peu réussi. De cette pièce oubliée, Leo Stein
et Victor Léon tiraient un livret qu'ils offraient
d'abord à Richard Heuberger, mais celui-ci ne
faisant pas l'affaire, ce livret passait à Franz
Lehar. Grâce à lui, encore inconnu ou tout comme
le 28 décembre 1905, celui-ci était le 29 en passe
de devenir international. Le mot triomphe se tradui-
sait en tous les idiomes de la planète pour s'appli-
quer à cette *Lustige Witwe* jusqu'à en devenir
Merry Widow, Vedova allegra, Viuva alegra... ou
Veuve Joyeuse. Donnée à Hambourg, à Brême, à
Berlin, à Christiania et à Riga, en 1906 ; à Saint-
Pétersbourg, à Trieste, à Milan, à Londres et à
New York, en 1907 ; à Bucarest et à Melbourne,
en 1908, elle débarquait le 24 avril 1909, au printemps des Ballets russes, à l'Apollo de Paris, ayant
totalisé sur près de quatre cents scènes, près de

vingt mille représentations en se chargeant de
vingt publicités commerciales imprévues : Zigaren,
Schokoladen et Korsetten se réclamaient de la
Lustige Witwe !

L'action prenait naissance en cette Marsovie qui
était à princes russes en goguette, à diplomates
gigolos, à fêtards sentimenteux, à gambilleuses
dancing-girls, comme pour donner raison aux miso-
gynes prétendant que ce n'était là qu'exhibitions
(audacieuses alors) de fines chevilles, de mollets
ronds et de jambes bien tournées. Au fait, c'était bien
davantage, puisque d'autres mécontents allaient
jusqu'à reprocher à cette œuvre nouvelle et aux
suivantes trop de développements, trop d'orchestre
— trop de musique ! Etait-ce encore Vienne ? La
musique viennoise, ç'avait été Schubert sans doute,
mais Johann Strauss bien davantage. De père
autrichien comme il l'était et de mère hongroise,
Lehar ne pouvait vraiment que verser en musiques
austro-hongroises. Cependant avant que d'être, au
gré de ses livrets, italiennes, magyares, slaves,
bosniaques ou tziganes, elles allaient allier à la
grâce viennoise certain goût, certaine verve, certain
esprit français. Soit, on exagéra en trouvant quelque
analogie entre « Heure exquise qui nous grise » et
la valse de certain *Bonhomme de Neige* d'Antonin
Banès lequel, de ce côté et même de l'autre côté du
Rhin, n'avait pas été sans audience : ce ne pouvait
être là que fortuite rencontre de notes, et il en est
d'autres. Ces notes — avec leur je-ne-sais-quoi qui
n'était qu'à Lehar tout seul, affirmait (en français)
la critique viennoise — ces notes se trouvaient
remplies d'un dessein nouveau — qui oserait dire d'un
nouveau message ? Si le premier motif est chargé
de quelque facile érotisme viennois, le second plus
désinvolte, plus cabré, pourrait être français. Nulle

valse en tout cas ne parut plus capiteuse. Ainsi
comme le 2/4 du cancan d'Offenbach avait fait courir
le Second Empire au désastre, c'est sur le 3/4 de
cette valse-ci que la Belle Epoque, que l'Epoque
joyeuse va glisser joyeusement à l'heure H du
cauchemar, de la tranchée, de la boue et du sang.

Cependant, si c'est bien à la valse que l'art de
Lehar devait trouver son tempo, son rythme, son
élan — irait-on jusqu'à dire sa raison d'être...
ou de danser ? — il n'en reste pas moins que c'est
avec un bonheur renouvelé que cet art, d'une
incomparable souplesse, fera appel à d'autres danses
et jusqu'à les intégrer à lui. Ainsi à côté de ses
grandes valses, telles que « Bonheur n'est-ce pas toi ? »
du *Graf von Luxembourg* (réplique, semble-t-il,
de l' « Heure exquise »), trouvera-t-on la mazurka
(à note bleue) de la *Blaue Mazur* (1920) ; la czardas
de *L'Amour tzigane* et le panotas du *Wo die Lerche
singt* dont on a pu dire que Brahms n'en écrivit
jamais de pareil ; le tango : celui (russe) du
Tzarevitch et celui (royal) de la *Tango Kœnigin*,
voire même des danses américaines : fox-trot,
« Deux yeux très doux », de *Frasquita* ; slow-fox,
« Dans le petit bar » du *Lied von Gluck*, sinon la
pampa-rumba de celui-ci ou le shimmy d'*Eva*.
Mais les meilleurs slows perdent chez lui de leur
américanisme au profit d'un slancio plus viennois
qu'italien : « Je t'ai donné mon cœur » du *Pays du
Sourire* ou « Rien n'existe plus » de *Paganini*. Et
quant à « O ma belle étoile » de *Giudetta*, ce n'est
plus là qu'une effusive mélodie. D'ailleurs si *Le
Pays du Sourire* (1923) et *Paganini* (1925) se disent
encore des opérettes (romantiques, il est vrai),
Giudetta (1934) s'affirme comme un « komische
oper » ni plus ni moins que l'avait été déjà en 1922,
cette *Frasquita*, laquelle, en arrière-petite-fille de

Carmen devait, en 1933, prendre pied sur le plateau
du second théâtre lyrique français. Son air à succès :
« Ne t'aurais-je qu'une fois... » Et si Franz Lehar
n'accéda qu'une fois à ce plateau-là, il le fit avec
une œuvre nullement indigne des meilleures de son
répertoire. Car en elle, comme en toutes celles de
sa seconde manière, Franz Lehar sans le forcer
élargit avec grâce son talent jusqu'à frôler, lui
aussi, quelques-unes des conquêtes harmoniques
du début de ce siècle, celles de Richard Strauss
comprises : 1905, l'année de sa *Veuve Joyeuse* avait
été celle de *Salomé*. En dépit de « Meine Lippen
sie küssen so heiz », en dépit de cette valse qu'on
peut tenir pour la dernière qu'il ait écrite, on devait
prétendre qu'en *Giudetta*, l'influence de R. Strauss,
celle de Puccini aussi, étaient trop perceptibles.

Dans sa *Vie de Bohême*, Puccini, on le sait, avait
mis quelque chose de sa folle jeunesse ; en sa prodigue générosité, Lehar en avait fait autant avec son
Graf von Luxembourg, qui, joyeusement — c'est
sans doute la page la plus gaie de sa production —
est la réplique de sa *Lustige Witwe* elle-même.
Qu'on y ajoute *La Chanson tzigane* (1910), on aura
ainsi la première trilogie de son œuvre. Nous venons
de dire que la seconde était faite de *Frasquita* (1922),
du *Pays du Sourire* (1923) et de *Paganini* (1925).
Avec le condiment d'une gamme quelque peu
pentatonique, il créait en la seconde de ces opérettes,
l'illusion d'une Chine assez proche de l'approximatif
Japon de *Madame Butterfly* ; et par certaine chaleur
effusive, effervescente, ensoleillée, il n'était pas
loin d'y rejoindre le musicien italien. « Le ciel
luisait d'étoiles » se trisse en toutes les langues du
monde ; « Je t'ai donné mon cœur » aussi. D'ailleurs,
l'auteur de *Gianni Schicchi*, une façon d'opérette,
aimait beaucoup « le Puccini de l'opérette » qu'était

Lehar, particulièrement pour son italianisante *Danza delle Libellule* (1922) créée à Milan, comme *Who die Lerche sing (Le Chant de l'Alouette)* l'avait été à Budapest et *Friederike* (1928) à Berlin, *Friederike* qui ne faisait rien moins que porter à la scène, en y faisant appel à Gœthe, le plus beau printemps d'Alsace et la plus alsacienne des idylles, celle de Frédérique Brion et du futur auteur de *Werther.*

Comme pour prouver qu'il pouvait faire autre chose, Franz Lehar devait laisser une centaine de lieder, dont deux cycles en français : *Amours* et *Chansons des Compagnons d'Ulysse,* celui-ci d'après Pierre Benoît ; un poème symphonique : *Ein Vision, meine Jugend* ; enfin de quoi permettre au Dr Miklos Rekaï de compiler une *Rose de Noël* (Théâtre du Châtelet, 1958), qui, suivant la formule, n'ajoute nul parfum à sa gloire.

En 1958, d'ailleurs, Franz Lehar, comblé par celle-ci et par la fortune, reposait depuis dix ans : il était mort le 24 octobre 1948, à Bad-Ischl.

A son tour cependant, Franz Lehar trouvait un concurrent sérieux — voire musicalement, un très sérieux concurrent — en la personne de Léo Fall et aussi — ou surtout — en celle d'Oscar Straus.

2. Léo Fall

Né à Olmutz ou Olamouc en Moravie (1873), c'est à Mann-heim, que Léo Fall devait donner *Der fidele Bauer* (1907) et à Berlin, *Madame de Pompadour* (1922), tandis que c'est Dresde qui, en 1926, révélait de lui une opérette posthume : *Jugend im Mai.* Mais c'est Vienne, où après de brillantes études au Conservatoire, il s'était installé en 1906 et où il devait mourir en 1925, qui assurait le succès du meilleur de sa pro-duction : de *Brüderlein fein* (1909) — un petit chef-d'œuvre de style Biedermeier — à *Der liebe Augustin* (1912) — un autre — et de la *Kaiserin* (1916) au *Spanische Nachtigal* (1920), en passant par *Die Rose von Stambul* (1916). Et cependant qu'est tout ceci — peu de chose... — à côté de sa *Dollar prinzessin* (1907) et à côté de sa *Geschiedene Frau* (1908) ? Nées à un an d'intervalle cette *Divorcée* et cette *Princesse-là* devaient à un an d'intervalle passer en France, la première au Vaudeville, en 1910, la seconde à Nice, en 1911, et leurs deux valses balancer l'audience, la résonance, l'envoûtement de celle de *La Veuve joyeuse* elle-même !

Il n'empêche que Léo Fall semble toujours garder la nostalgie d'une musique plus relevée, d'une musique d'opéra-comique. Un opéra-comique, ses *Rosen aus Florida*, que An der Wien montait en 1929.

3. Oscar Straus

Ce n'est point à l'onomancie, même approximative qu'Oscar Straus né à Vienne, le 6 avril 1870, et élève de Max Bruch, dut sa précoce notoriété mais à son sens naturel d'une mélodie directe et bien frappée : une chanson de Bierbaum y suffit, qui, du jour au lendemain, devait faire courir ou faire chanter Vienne tout entière, de Weinstube en Weinstube et du Ring au Prater. Elle tirait son auteur de l'ombre de l'Uberbrettl, cabaret artistique où il avait lancé ses premiers refrains.

Il est vrai qu'il ne s'en était pas tenu à ceux-là et que c'est même par d'autres musiques qu'il s'était d'abord imposé à la vie musicale. Chef d'orchestre à Brunn, à Teplitz et à Berlin, c'est par un opéra qu'il se révèle, *Die Waise von Cordova* (1894), par un opéra-comique : *Der schwarze Mann* (1900), par un ballet : *Die Prinzessin von Tragant* (1912). Suivent ou précèdent d'autres œuvres sérieuses : une *Sonate* pour piano et violon, une *Sérénade* pour orchestre à cordes, une *Ouverture* pour grand orchestre et d'après Grillparzer : *Der Traum ein Leben*. Les trois opérettes qu'il fait entendre à Vienne de 1904 à 1906 — *Die lustigen Nibelungen, Zur indischen Witwe* et *Hugdietrichs Brautfahrt* — ne paraissent pas devoir fixer sa destinée, encore qu'on tienne la première de ces œuvrettes pour la plus plaisante parodie niebelungienne qu'on ait faite. Il faudra pour cela, en 1907, la création de *Ein Walzertraum* : le 2 mars de cette année-là, c'est son 28 décembre 1905 à lui ; à moins de quinze mois de distance, ce *Rêve de Valse* fait l'écho, à l'Apollo, à *La Veuve joyeuse* ; Oscar Straus en devient le très parisien rival de Franz Lehar en personne.

D'ailleurs à vingt mois de ce *Walzertraum* paraît *Der Tapfere Soldat*, d'après le *The Arms and the Man* de G.-B. Shaw, que nous traduisons par *Le Héros et le Soldat*. Et cette opérette nouvelle deviendra *Le Soldat de Chocolat*. *Rêve de Valse* et *Le Soldat de Chocolat* assureront, en 1910 et 1912, la double relève de *La Veuve joyeuse* et du *Comte de Luxembourg*.

Deux douzaines d'opérettes ou de « Singspielen » devaient suivre, dont on a envie de ne citer, tellement Oscar Straus, mieux encore que Lehar, est musicien de la valse, que la trilogie de celles qui ont le mot valse en leurs titres. C'est à savoir *Der letzte Walzer* (1920), *Die drei Walzer* (1937) et *Ihr erste Walzer* (1950).

Oscar Straus a cinquante ans lorsqu'il écrit, pour Vienne, la première de celles-ci ; il en a quatre-vingts lorsqu'il écrit la troisième pour Münich. Et c'est aux Bouffes-Parisiens, le 21 avril 1937, qu'il donne ses *Trois Valses*, texte de Léopold Marchand et d'Albert Willemetz d'après Robinson et Knepler. Ces *Trois Valses* devaient constituer, avec *Rêve de Valse* et *Le Soldat de Chocolat*, la « trilogie française », d'Oscar Straus. Yvonne Printemps devait, en la première, trouver le triple rôle-succès des trois générations des Grandpré : Fanny, qui est danseuse ; Yvette, qui est cantatrice et Irène, qui est starlett, chacune devant aimer un Chalancey : Octave, Philippe ou Gérard. Ainsi l'œuvre imposait-elle trois époques : celle de Johan Strauss I, celle de Johann Strauss II... et celle d'Oscar Straus lui-même.

En 1927, Oscar Straus avait quitté Berlin pour Paris (il y devait même donner, l'année suivante, à l'Edouard-VII, une *Mariette*, opérette française). Il quitta ensuite Paris pour l'Amérique.

Ce n'en est pas moins à Bad-Ischl, lui aussi, qu'il devait s'éteindre le 11 janvier 1954, six ans après Franz Lehar.

III. — Les autres

Tout ceci dit, pour peu qu'on oublie Karl-Rudolf Weinberger et sa douzaine d'opérettes, de *Pagenstreiche* (1888) à *Das gewisses etwas* (1902) en passant par *Prima Ballerina* (1895), sans doute la meilleure du lot, resteraient encore, de la génération fin de siècle, quatre compositeurs de mondiale importance : Robert Stolz, Emmerich Kalman, Ralph Benatzky et Paul Abraham.

1. **Robert Stolz** fut un enfant prodige. Né à Graz, en 1880, élève d'Humperdinck, il était, à douze ans, chef d'orchestre à l'An der Wien. De 1909 à 1949, ce n'est pas moins d'une

cinquantaine d'opérettes qui paraissent sous son nom et qui, ne serait-ce que par leurs titres, sont viennoises 100 %. La première, qui est de 1909, s'appelle *Die lustige Weiben von Wien* ; la dernière, qui est de 1949, *Frühling in Prater*. Et quant à la meilleure, de 1921, c'est la *Tanzgräfin*.

2. **Emmerich (ou Imre) Kalman**, pour être né en 1882, à Siofok sur le lac Balaton, est peut-être un peu nôtre, puisque c'est à Paris qu'il mourût le 30 octobre 1953. Il avait travaillé avec Bartok et Kodaly et un rhumatisme de la main lui ayant fait renoncer à la carrière de virtuose, l'une de ces quelque douze cents chansons qu'on devait trouver en ses opérettes avait suffi pour le lancer. La chanson : « Im Pratern bluh'n wieder die Baume. » L'opérette : *Tatarjaras* qui devenait, à Vienne en 1909, *Herbstmanöver, Manœuvres d'Automne*. A côté de cette œuvrette à taratatas, sa *Czardas Fürstin* (1915) évoque les rythmes fougueux et la cajoleuse langueur des musiques de son peuple : on alla à son propos jusqu'à parler de Lehar. Mais cette *Princesse Czardas* ne devait pas être seule à témoigner de ses meilleures qualités natives et natales. Il y eut ainsi une *Gräfin Maritza* (1924), une *Zirküsprinzessin* (1926), une *Herzogin von Chicago* et une *Veilchen von Montmartre* qui, de Vienne (1930), passa à Paris (1935), tandis que son *Arizona Lady* lui assurait à Berne, en 1954, un appréciable succès posthume.

Il avait quitté Vienne pour Paris en 1938, Paris pour Hollywood en 1940 et, pour y mourir, revint donc à Paris après la guerre.

3. **Ralph Benatzky.** — R. Benatzky, né à Budweis (Moravie), avait fait à Prague, puis à Münich de solides études avec Félix Mottl, un collègue de son père. Aussi célèbre à New York qu'à Paris (ses *Deux sous de fleurs* firent de l'or, en 1933, avec Paul Nivoix, à l'Empire), on pourrait dire qu'il l'est par cet *Im weissen Röss'l* (1930), par cette *Auberge du Cheval-Blanc* écrite avec Stolz pour la chanson « Die ganze Welt ist himmelblau ». Si le monde entier est bleu du ciel, il devait être gagné, tout entier, au bleu lyrisme de cette imagerie sentimentale où rien ne manque : un François-Joseph à favoris y vient présider une fête au bord du lac de Saint-Wolfgang, où le vent pousse mollement la barque des amoureux et où l'écho des montagnes à laï-tou répond naturellement par des tyroliennes à leurs duos à la tierce.

L'œuvre de Benatzky s'éleva de la chanson et par le palier de cinq opérettes — parmi celles-ci : *Liebe in Schnee* (1916), *Pepsi* (1921) et *Die drei Musketiere* (1929) — à ce haut vaudeville alpestre ; elle domine de là deux autres opérettes char-

mantes portant la même date (1930) : *Zur goldene Liebe* et
Meine Schwester und ich. Après quoi, l'œuvre descend par
cinq autres opérettes, dont *Zirkus Aimée* (1932), *Das kleine
Cafe* (1934) et *Axel in der Himmelstür* (1936), la dernière.

4. **Paul Abraham.** — Né à Apatin (Hongrie) en 1892, il devait
coup sur coup s'assurer, à Vienne, deux succès qui y durent
encore : *Victoria und ihr Hüssar* (1930) et *Die Blüme von
Hawaï* (1931). Ils furent tels, ces succès, qu'on vit un instant
en lui le successeur de ce Lehar avec qui il avait d'ailleurs
collaboré pour *Friedericke* et même pour *Das Land des
Laschlens.* Cependant, le destin devait lui faire payer cher
une dernière réussite : *Roxy und ihr Wunderteam* (1937).
Réfugié racial en U.S.A., il y mourait dans la misère et l'oubli
en 1951.

* *

Serait-ce enfin tout ? Que non pas ! Même sans le désir
d'être tout à fait complet, il serait injuste — *paulo minora...* —
de ne pas citer :

1. **Richard Genée.** — Né à Dantzig, en 1823, R. Genée fut
chef d'orchestre à Reval, Riga, Cologne, Aix-la-Chapelle,
Dusseldorf, Mayence, Schwerin, Amsterdam, Prague. Où
encore ? Mais à Vienne, de 1868 à 1878 ; il y disparaissait
en 1895. Ainsi ses opérettes sont-elles d'un peu partout :
de Dantzig son *Geiger von Tyrol* (1857) ; de Schwerin son
Musikfeiner (1862) ; de Mayence sa *Rosita* (1864) ; de Berlin,
son *Seekadett* (1876). Et ce serait aujourd'hui la plus connue
de ses œuvres s'il n'y avait *Nanon, die Wirtin von goldene
Lamm* (1877), dont le succès fut tel, avec ses trois cents représentations qu'il décida d'une française *Nanon, l'Hôtesse du
Mouton-d'Or. Mutatis mutandis :* sa popularité, Genée pouvait
l'assurer autrement que par sa musique. Tel Boïto, il fut,
pour lui et pour d'autres, librettiste : on lui doit une bonne
douzaine de livrets originaux et autant de traductions. Ainsi
est-il le véritable introducteur des Offenbach et des Lecocq
en Europe centrale. Faisant tandem avec F. Zell, pseudonyme
de Camillo Walzel, c'est lui qui lui donna son meilleur livret à
Millöcker *(Der Bettelstüdent)*, ses deux meilleurs à Suppé
(Fatinitza et *Boccaccio).* Et si ce ne sont point les meilleurs
qu'il donna, avec ce Zell, à Johann Strauss *(Der lustige Krieg,
Eine Nacht in Venedig* et *Cagliostro in Wien)*, c'est du moins
lui qui, en collaboration avec Haffner, lui donna le prétexte-
chef-d'œuvre de sa *Fledermaus.*

2. **Harry Berté.** — *Die Schneeglocke* (1896) de celui-ci et
Die Millionenbraut (1904) du même, ne sont que des titres.

Dreimäderlhaus (1916), par contre, d'après le roman *Schwammerl*, fut un appréciable succès et n'est pas sans devoir quelque chose — ou beaucoup — au grand musicien des opérettes que sont *Fernando*, *Die Zillingsbrüder* et *Der vierjährige Posten*, disons à Franz Schubert. Ce *Dreimäderlhaus* fut traduit en français par *Chanson d'Amour* ou par *La Maison des trois Jeunes Filles*.

3. **Fred Raymond** (de son vrai nom Fried Vesaly). — Mis en selle par une de ces chansons irrésistibles pour lesquelles la gloire fausse ses trompettes : « Ich hab mein Herz in Heidelberg verloren », F. Raymond fit, entre 1934 et 1951, une course de grand style sur la piste de l'opérette avec *Lauf ins Glück* (1934), *Marielu* (1936), *Die Perle von Tokaï* (1941). Resterait *Geliebte Manuelo* (1951), qui devait le mener au-delà de lui-même : ce n'est rien moins qu'un petit chef-d'œuvre.

4. **Nico Dostal.** — Pendant la même période, de 1933 à 1952, N. Dostal donnait une dizaine d'opérettes (son oncle Hermann en avait fait autant avec, en 1919, *Nimm mich nicht*). Deux connues : *Olivia* (1933) et *Ungarische Höchzeit* (1939). Une moins connue : *Die grosse Tänzerin* (1941). Une dernière presque oubliée : *Die dritte Wünsch* (1954). Et nous allions en oublier *Zirkusblüt* (1950), jouée en même temps sur sept scènes.

5. **August Pepöck.** — Né à Gmunden, A. Pepöck fut l'auteur d'un *Hofball in Schoenbrunn* après l'avoir été d'une *Faschingsnacht*.

6. **Rudolf Kattnig.** — Né à Tréffen, en 1895, R. Kattnig est l'auteur d'une *Kaiserin Catharina* et d'un *Balkanliebe.*

7. **Bruno Granichstœdten.** — Comme P. Abraham, celui-ci devait mourir à New York et à peu près aussi oublié que lui. Il n'en avait pas moins teinté une douzaine d'opérettes qui s'échelonnent entre 1908 et 1930, d'une nuance d'américanisme alors bien à la mode. La plus connue : *Auf Befehl der Kaiserin* (1915). Un peu moins connue : *Schwalbennest* (1926). Moins connue encore : *Wein, Weib und Gesang* (1909). Oubliée, *Reklame* (1930).

8. **Franz Grothe.** — Berlinois de naissance, ce n'en est pas moins à Vienne que Fr. Grothe donna sa *Nacht mit Casanova.*

9. **Leo Ascher.** — Mort à New York comme les autres et la soixantaine atteinte, Leo Ascher fut un instant l'auteur de *Ein Jahr ohne Liebe* (1923) et de *Barbarina* (1928). Il fut un peu plus durablement celui de *Brüderlichtsinn.*

10. **Richard Heuberger**, auteur de *Der Opernball* (1898).

11. **Josef Hellmesberger**, Jr., auteur de *Rikiki* (1887).

12. **Julius Stern**, auteur de *Bum-Bum* (1896).

13. **Edmund Eysler**, qui, dès le commencement de ce siècle, n'écrivit pas moins d'une soixantaine d'opérettes : vingt petites et quarante grandes. La plus célèbre, la première en date, ne serait-ce que par la chanson « Kussen ist keine Sünd», c'est *Bruder Straudinger* (1903) ; la meilleure peut-être, la dernière : *Wiener Musik* (1947).

Et pour que ces « petits maîtres » soient plus de treize à la douzaine qu'on y joigne donc un musicien à casaque rouge avec brandebourgs dont le nom figure encore dans les albums-musique de nos aïeules. Alphonse Czibulka fut l'auteur d'une célèbre *Gavotte Stéphanie*. Il le fut aussi de six opérettes dont *Pfingsten in Florenz* (1884).

Mais non ! Qu'on y joigne plutôt Fritz Kreisler (1875-1962), prestigieux violoniste et compositeur presque prestigieux de *Sissy* (1932).

CHAPITRE III

L'OPÉRETTE AMÉRICAINE

Si l'envoûtante obsession du 3/4 valsé marque l'opérette viennoise, c'est à l'envoûtant déhanchement syncopé du jazz de marquer la dernière venue des opérettes : l'américaine. Mais s'agit-il encore d'opérette ? De « musical comedy » bien plutôt, ou de « passing show », « terme que le mot opérette trahit plus qu'il ne les traduit », dit René Chalupt, biographe de ce Georg Gershwin, lequel, à lui seul, pourrait la représenter, ni plus ni moins qu'à eux deux Strauss et Lehar représentent l'opérette viennoise.

Ces opérettes sont très nombreuses, mais trop souvent conçues à la chaîne anglaise ou en série américaine ; elles se marquent de ressemblances trop singulières. Mêmes livrets d'une ingénuité désarmante, d'une incohérence agressive où Robert Kemp ne voulait voir « qu'une grande innocence ». Mêmes lyrics plaqués sur un texte qui les appelle trop peu. Mêmes intrusions de girls ou de boys les traversant avec un sportif entrain et chez qui la musique, descendant du larynx dans le coup de pied, ne tient qu'à rendre le spectateur — à son choix — groggy ou knock-out.

L'opérette américaine a sa plus lointaine origine en les burlesks des minstrels, et sa plus proche origine en l'imitation de l'opérette française, londonienne ou viennoise : *La Vie Parisienne* est jouée là-bas en 1884 ; *The Mikado* en 1885 et *Der Fleder-*

maus en 1886. Il est vrai que d'avance, en 1879,
J. Ph. Sousa — celui qui allait devenir l'homme dont
les marches devaient rythmer les triomphes stars-
and-stripes-for-ever de la Cinquième Avenue —
John Philip Sousa (1854-1932) avait donné *The
Smugglers* avec un petit demi-succès. Le succès
devait lui venir plus tard, et de plus en plus affirmé,
avec *The Bride Elect* (1897), *El Capitan* (1898)
et *The Charlatan* (1899). Mais déjà il n'est pas seul.

Dix ans avant *The Smugglers*, *The little Tycoon*
signé Willard Spencer et qui imitait le *Mikado*,
fixait les coefficients du succès américain : cinq
cents représentations et un air à rengaine-obsession ;
c'était en l'occurrence « On the Sea ».

I. — Les deux précurseurs : Dekoven et Herbert

Ce sont deux musiciens de même âge, Reginald Dekoven (1859-1920) et Victor Herbert (1859-1924), qui, en pré-
curseurs, devaient constituer la première vague tandem de
l'opérette américaine.

1. **Reginald Dekoven** fut le maître de Chicago. Né à Middle-
town, en Connecticut, cet Etat qui passe pour représenter
l'esprit yankee le plus pur, c'est au bord du lac Michigan qu'il
mourut. Son premier succès : *The Begum* (1887) était lui aussi
sur le modèle de l'inévitable *Mikado*, mais du moins lui
avait-il fait découvrir un librettiste de classe, Harry B. Smith,
à qui il allait rester fidèle pour *Robin Hood* (1890) et pour
The Knickerbockers (1892). Montée sans conviction par le
Chicago Opera House, la première de ces œuvrettes n'en lançait pas moins un genre et telle de ses pages « O promise me »
allait devenir indispensable aux hymens bien conditionnés.

2. **Victor Herbert** fut le maître de New York, un maître
dont R. Dekoven n'avait été qu'une façon de précurseur.
Né à Dublin, ayant travaillé à Stuttgart, c'est sur les rives
de l'Hudson qu'il devait disparaître. A l'égal de Daniel
Emmett ou de Stephen Foster, qui, de *Dixie* et de *Old folk
at home* (autre titre : *Swanee River*) avaient marqué la mi-temps
du siècle, c'était un petit maître de la mélodie que tout le
monde retient. Mais était-il vraiment, comme le veut prouver
post mortem un film « The great Victor Herbert », « equal if

not superior of men like Sullivan, Strauss and Offenbach » ?
On en pourrait, certes, discuter.

Après un essai infructueux, *Prince Ananias* (1894), ç'avait
été cependant pour R. Dekoven la montée en flèche, chaque
œuvre nouvelle se marquant quasi d'avance d'une page vouée
à la popularité : *The Wizard of the Nile* (1885) avec « Star
light, star bright » (valse) ; *The Serenade* (1897) avec « I love,
I adore thee » (romance) ; *Fortune Teller* (1898) avec « The
gypsy love song » (chanson amoureuse et tzigane) ; *Babes in
Toyland* (1903) avec sa March of the Toys ; *Mlle Modiste* (1905)
avec « Kiss me again », légendaire ou « immortal walz » ; tout
ceci étant encore dépassé par *Naughty Marietta* (1910),
le premier « classique » du genre du fait qu'il transportait les
spectateurs en la New-Orléans de l'Ancien Régime et qu'il
devait fournir à l'Union Jack tout entière « Ah ! Sweet mistery
of life ».

II. — Les deux premiers « Grands » :
R. Friml et S. Romberg

1. Rudolf Friml. — Praguois d'origine et comme
tel élève de Dvorak (lequel quittait à peu près
les U.S.A. quand lui-même y débarquait comme
accompagnateur de Jan Kubelik), R. Friml n'avait
encore eu qu'un seul succès affirmé, ou deux tout
au plus, *Sympathy* et *Firefly*, quand, cherchant
une pièce de remplacement à *Naughty Marietta*, le
producer Oscar Hammerstein I lui offrit sa chance.
Il en devenait l'auteur de *Rose-Marie* (1924), puis
de *The Vagabond King* (1925), enfin des *Three
Musketeers* (1928), trois opérettes qui sont trois
triomphes menés tambour battant par le grand
chanteur Dennis King et dont chacun a au moins
un air-triomphe. C'est pour *Rose-Marie* qui se
déroule dans un cadre Montagnes Rocheuses l' « Indian love call » ou le « Rose Marie, I love you ».
Quant à *Vagabond King* et à *Three Musketeers*,
le premier d'après J. H. Carthy, le second d'après
Alexandre Dumas, ils ne font rien moins que de

mettre en scène, à l'américaine, François Villon, d'une part, et de l'autre, Athos, Porthos, Aramis et d'Artagnan. Mais dans « Only a rose » ou dans « Some day » du premier comme dans « Ma belle » ou « Heart of men » du second, R. Friml semblait vouloir affermir sa manière sans pour autant, à travers Herbert ou Dekoven, ne point maintenir certaines traditions de Lehar ou de Strauss. Ce qui ne l'empêcha de passer en date pour « the first giant of american operetta ». Sa profession esthétique : « I can't write music unless the are romance, glamour and heroes ».

2. **Sigmund Romberg** (1887-1951). — Encore que Hongrois (il était né à Szegred-sur-Tisza), S. Romberg fut à la vérité bien plus Viennois encore que Friml. Ingénieur civil, c'est comme tel qu'il était venu en Amérique, mais le musicien l'emporta bientôt chez lui sur le constructeur de ponts, aqueducs et ponceaux. D'abord accompagnateur en cafés à musique, il est, en 1912, chef d'orchestre au célèbre Bustanovy Restaurant et, en 1914, l'auteur de certaine *Whirl of the World*, « extravaganza » typiquement américaine ; jouée au Winter Garden, elle le lance. Entre une série d'extravaganzas-revues semblables données de 1914 à 1924, il glisse d'abord, en 1915, à l'adaptation d'une opérette viennoise à fond sentimental : *The blue Paradise*, qui marque d'avance son genre. Certain Shubert (sans petit c) avait acquis les droits de *Das drei Mädlerhaus*, mais jugeant la musique médiocre, la fit refaire par Romberg : sur des thèmes favoris du doux Franz, cela devint *Blossom Time* (1921). De Vienne à Heidelberg, il peut n'y avoir que les trois temps d'une valse : d'après Alt Heidelberg, *The Student Prince* (1924) faillit passer l'Atlantique. Les deux opérettes sui-

vantes le passèrent, *Nina Rosa* (1930) et *Desert
Song* (1929) : c'est en 1930 que ce *Chant du Désert*
tenait l'affiche parisienne de Mogador. La critique
de Broadway avait jugé que l'œuvre combinait
« pageantry, romance, vitality and humour » avec
certain lyrisme se haussant dans « One alone »
jusqu'au « sharp pathetic ». La critique parisienne,
par contre, trouva qu' « avec ses mélodies liquo-
reuses, ravageuses, flagorneuses où la guimauve,
le miel et la réglisse déguisaient l'âcre cantharide »,
ce *Chant du Désert* « représentait une Shéhérazade
de marché aux puces ». A noter cependant qu'aux
U.S.A., son succès n'atteignit point celui de *The
new Moon* (1928) et que celui-ci devait encore être
dépassé par *Up in Central Park* (1945). *The new
Moon* exploitait une fois encore la poésie du New-
Orléans du XVIIIe, tandis que *Up in Central Park*
ramenait à la nostalgie du New York d'avant 1870.
Son « April Snow » est resté populaire.

Le dernier ouvrage de Romberg fut, en 1948,
My Romance. Entré vivant dans la gloire, certains
bons esprits de là-bas étaient tout prêts à le croire
le contemporain de Strauss, de Suppé et d'Herbert.
Lui-même se définissait « only a sentimentalist ».

* *
*

Après Romberg une nouvelle vague devait s'annoncer
avec Georg Michaël Cohan (1878-1942), « real live nephew
of Uncle Sam », lequel passa pour « brash, hocksure, egocen-
tric, chauvinistic, gigantic ». Né à Rhode-Island, c'était un
enfant de la balle qui devait constituer avec ses parents et sa
sœur Josepha le numéro des Four Cohans. A dix ans, il écrivait
un sketch et à cinquante, une opérette : *Merry Malones*.
Mais entre-temps en 1917, c'est lui qui en une heure avait
improvisé cet « Over there » qui, marquant la World War I,
devait lui valoir la médaille d'or du Congrès.

III. — La trilogie des « Tin Pan Alley » : Kern, Berlin et Youmans

Au début de ce siècle, la 28ᵉ Rue était devenue à New York le centre de la musique légère, et les shops y engageaient des tapeurs à gages ou « songs pluggers » pour faire valoir auprès de la clientèle les chansons « up to date ». Or, certain journaliste du nom de Monroë Rosenfeld devait y faire un reportage. Il l'intitula Tin Pan Alley et le nom resta au grand trio des compositeurs susdits. Les Tin Pan Alley composers devaient-ils créer un genre nouveau ? Ce ne devait être en tout cas qu'en la mesure même où, à la manière de leurs devanciers, ils incorporaient le rythme syncopé issu du jazz.

1. **Jérome Kern** (1885-1945). — Né à New York City, Jérome David Kern est resté l'un des seuls Américains de berceau, encore que Tchécoslovaque d'origine et Israélite de race. Après un voyage en Europe de 1903 à 1905, il était en 1906 devenu song-plugger et le serait peut-être resté s'il n'avait eu, pour en sortir, *The Red Petticoat* (1912) et *The Girl from Utah* (1914). Avec son million d'exemplaires-papier, un air comme « They din't believe me » suffisait à faire de lui le successeur de Georg M. Cohan. Mais c'est alors que Guy Reginald Bolton prétendit lui imposer une production moins spectaculaire. De ce genre relève, marquée de certain réalisme américain, la trilogie *Nobody at home* (1915), *Very good Eddie* (1916) et *Oh ! Boy*, dont certaine Magic Melody justifiait à elle seule la magique cinq centième. Cependant ce n'est qu'avec *Sunny* (1925), avec *Show Boat* (1927) surtout que Kern devait s'assurer l'audience unanime et la fortune.

L'idée — l'idée qu'on jugea d'abord « quixotic »,

disons utopique — de tirer, pour le Siegfeld Theatre,
une opérette du célèbre roman d'Edna Ferber,
Showboat, était d'Oscar Hammerstein. Et sa réali-
sation ne devait rien moins que donner un chef-
d'œuvre apportant de nouvelles dimensions à
l'opérette américaine. Ce Show Boat, c'était un
bateau de Thespis, un boat à roues et à shows
qui, de Saint-Louis à Bâton-Rouge et de 1890 à 1930
— ce qui va de la polka 1890 au charleston 1930
en passant par le cake-walk 1910 — donna spectacle aux riverains du Messacébé, d'où le titre
français de l'œuvre : *Missisipi*. Deux airs types :
« Can't help loving that man », très librement
traduit par « L'oiseau s'envole » en une envolée
d'un Puccini chantant Paul et Virginie ; et « Old
man river », l'Homme du vieux père fleuve :
une page qui était du folklore nègre — à moins
qu'elle n'en soit devenu.

Show Boat, créé le 27 décembre 1927, devait
être repris de dix en dix ans, en 1932, 1945 et 1952,
pour finir en 1954 par entrer au répertoire du
New York City Opera. Entre temps, l'auteur en
avait donné une version de concert avec récitant.
Enfin, on n'en avait pas fait moins, pour lui, de
trois films !

Après *Show Boat*, Jérome Kern devait encore
donner *Sweet Adeline* (1929), *The Cat and the
Fiddle* (1931), *Roberta* (1933) et *The three Sisters*
(1934), qui devait être son chant du cygne.

2. **Irving Berlin.** — Fils d'un chantre de synagogue russe, Israël Izzy Balin, qui s'est fait appeler Irving Berlin, naquit à Timun (Sibérie), mais
il avait à peine quatre ans quand un pogrom
exila ses parents en U.S.A. et c'est à partir de cet
âge-là pourrait-on presque dire, qu'il fit tous les
métiers. Son premier « job » fut sans doute la mendi-

cité musicale dans les rues, avant qu'il la pratiquât
en certain café de Chinatown. C'est là qu'il écrivit
sur une seule portée la musique qu'il jouait avec un
doigt : certain « Spring Song » accommodant en
rag-time la Chanson de Printemps de Mendelssohn ;
puis tout de suite après cet « Alexander Rag time »
qui n'était pas sans rappeler d'assez près un coon-
song de Harry von Tilzer : « Alexander dont you
love your baby no more. » Un million d'exemplaires
vendus font incontinent de lui le roi du genre. C'est
lui qui, pour la Guerre de 1914, écrira *Yip, Yip,
Yaphank*, tandis que l'autre guerre, celle de 1939,
lui inspirera *This is the Army*, tout cela devant
compter bien peu à côté de *Annie get your gun*,
qui, avec deux « provocativ songs », « I'm and Indian
too » et « The girl that I married », à moins que ce ne
soit avec les deux chansons « risqué » : « You can
get a man whith a gun » ou « They say it's wonder-
ful », devait devenir pour l'Europe et l'univers
Annie du Far West. Cette histoire, authentique,
paraît-il, d'Annie Oakley et de Franck Bütler que
le métier sépare — la première est star chez Buffalo
Bill et le second vedette chez son concurrent Bill
Pawnee — mais que l'amour finira par réunir,
cette histoire avait été offerte à Kern qui l'avait
jugée sans intérêt. Hammerstein devait la repasser
à I. Berlin, qui en fit « the richest and most varied
score ever written ».

3. **Vincent Youmans** (1895-1938). — Plus jeune
que Berlin, mais avec une œuvre qui devait s'insérer
entre celles qui viennent d'être citées, Vincent
Youmans débuta comme assistant de Vincent Herbert et devait s'imposer par un coup de maître :
précédée de la seule *Wildflower* (1923) et suivie de
la seule *Night out* (1925), c'en fut un à coup sûr
que *No no Nanette*, qui devait concurrencer seul

Hit the deck (1927) que nous traduisions par *Halle-luia*, son thème majeur rappelant d'assez près une hymne pascale chantée de tout temps au Liban, mais accommodée « à l'accordéon, à la boîte à musique et à l'ocarina », cette précision orchestra-tive étant de W. Kempff. Ce qui n'empêcha d'ail-leurs E. Vuillermoz de souligner « la qualité de solidité et d'élasticité de ces airs admirablement construits et harmonisés avec un sentiment tout à fait remarquable de la couleur ». D'ailleurs, il en dira autant, sinon plus de *No no Nanette*, « triomphe de la très bonne musique » qui n'en réalisa pas moins, avec « Tea for two » et avec « I want to be happy », deux exemples d'airs ayant fait le tour de la planète.

IV. — Le maître : Georg Gershwin

Jacob Gershowicz, dit Georg Gershwin, naît le 26 septembre 1898, soit en même temps que le jazz lui-même, dans un foyer d'émigrés russes et dans une rue sans joie — et sans musique — de l'East Side new yorkais : le hasard seul lui fera entendre certain jour l'Humoresque de Dvorak qui sera, pour lui, une révélation. Son obstination à vou-loir être musicien lui donne un maître, Ch. Hambit-zer, compositeur d'opérettes obscures. De bien d'autre standing, Kern et Romberg, celui-ci de onze ans son aîné, de treize celui-là. De 1913, la pre-mière opérette de Romberg, et de 1915 la première de Kern qui compte. Quant à la sienne, *La la Lucile*, son try-out, sa première n'est que de 1924. Il n'empêche qu'avant cette date, Gershwin, qui n'est toujours que « song plugger », avait déjà collaboré avec Romberg pour un passing show, *Making of a Girl*. Interprété par Fred et Adèle Astaire, *La la*

Lucile devait tenir six mois, tandis que Al Jolson imposait un de ses airs-succès « Swanee » du Bronx à Frisco. D'autres chansons suivront, sorties des très fameuses Scandl's Revues de G. White, tel le « Song of long ago ». Ainsi est-ce en maître incontesté qu'il donne, en 1923, deux opérettes nouvelles : *Little Miss Bluebard* et *The perfect Lady*, la première devenant, en passant de Boston à New York, *Sweet little Devil*. Sans doute tout Gershwin est-il déjà là, encore qu'on ait prétendu qu'il ne devait être Gershwin tout à fait que du jour de 1920 où son frère Ira devint son parolier en lui apportant « I'll build a starway to Paradise ». Cela lui indiquait la voie. Il la devait suivre avec « Lady be good », avec « The man I love », avec « Somebody loves me », avec « Looking for a boy ». « I am just a little girl who is looking for a little boy who is looking for a girl to love » : l'essence de l'art d'Ira et de Georg tient en pareille phrase ; ils sont les poètes de la mélancolie souriante, celle de la femme dans l'attente sentimentale et sensuelle de l'amour, ce qui va se dire en quelque deux cents chansons faisant d'avance le succès d'une dizaine de shows, *Lady be good* (1924) déjà cité, ou *Tip Toes* (1925), celui-ci rivalisant aussitôt avec la *Rhapsody in blues* et le *Concerto en fa* qui lui sont contemporains.

Il était une fois, dit Tip Toes, dont le titre sonne en deux sons étouffés de grelot, une petite fille qui s'appelait ainsi Sur-la-pointe-des-pieds et qui faisait partie, avec l'Oncle Puff et le Cousin Bob, du Trio Kayes, ce qui ne devait l'empêcher d'épouser un milliardaire, roi de la colle forte. Quelconque, le sujet. La musique compte seule, collant au texte, une musique drue, alerte, concise et cocasse, fraîche et franche, simple, vitaminisée (mais jamais frela-

tée), simple (et jamais vulgaire). Un tendre balan-
cement de tierce majeure ou mineure ; une douce
alternance de secondes et cette hésitation charmante attaquant la note trop bas pour l'atteindre
par les trois degrés d'un caressant chromatisme :
voilà bien la signature d'un « grand petit musicien »
qui sut conférer à la musique syncopée ses titres
de noblesse et au blues cette note bleue qui est
celle de la poésie : si petite soit-elle, une musique ne
vaut jamais que par le potentiel de poésie qu'elle
dégage.

Tip Toes avait donné « Looking for a boy » et
« That certain feeling » ; Oh ! Kay (1926), guère
inférieur à Tip Toes, devait lancer « Clap your
hands » ; Funny Face (1927), « Let's kiss » ; le
cataclysmique Girl Crazy (1930), « I got rythm ».
Après quoi, Gershwin devait tenter, avant le grand
renouvellement de Porgy and Bess, un renouvellement double avec deux opérettes qui versaient en
la satire politique, un peu comme Offenbach l'avait
tenté avec sa Grande Duchesse, ses Brigands ou
mieux encore son Roi Carotte. Ces deux opérettes
gershwiniennes : Strike up the band (1930) et Of
Thee I sing (1931), celle-ci empruntant son titre
à Walt Whitman. L'une moque une campagne
présidentielle, l'autre le chauvinisme militant et
militarisant des U.S.A. à l'occasion d'une guerre
pour le chocolat entre ses Etats et l'Helvétie !
L'humour est-il la politesse du désespoir ? C'est
ici la règle d'acier d'un jeu de massacre n'épargnant
ni Président, ni Cour Suprême, ni Pentagone ; ce qui
n'empêchait l'œuvre de décrocher, en 1932, le
Prix Pulitzer. Et quant à Porgy and Bess, c'est
une œuvre qui pour être un drame lyrique n'en
compte pas moins quelques pages d'opérette : ce
ne sont pas les moins réussies.

A Hollywood et à 39 ans — un an de plus que
Mendelssohn, son musicien préféré, affirme-t-on —
le 17 juillet 1937, disparaissait G. Gershwin.

V. — Les deux grands amuseurs :
Richard Rodgers et Cole Porter

1. **Richard Rodgers.** — Né à Hammels Station
(Long-Island) en 1902, R. Rodgers passe pour avoir
été pianiste à quatre ans. A quatorze, le *Very
good Eddie* de Kern le révèle à lui-même. De 1925,
sa première opérette : *The Garrick Gaieties* qui le
met, son librettiste d'élection Lorenz Harz et lui,
en selle. *Dearest Ennemy* (1926) sonne le départ.
A Connecticut Yankee (1927) annonce l'out-sider :
s'inspirant de Mark Twain, il retrouve son esprit.
Cet esprit s'attaque au monde des movies dans
America's Sweeheart (1931) et à celui du ballet dans
On your toes (1937). Viennent à la suite trois succès
révolutionnaires apportant « novelty, surprise and
freschness ». Ce sont :

1. *I married an Angel* (1938) d'après un conte
hongrois ».

2. *The Boys from Syracuse* (1939), d'après la
Comedy of Errors de Shakespeare, et contenant
une valse : « Falling in love with love. »

3. *By Jupiter* (1942), qui met en scène la Guerre
des Amazones.

A ce point la fortune de Rodgers put paraître
compromise. Elle allait commencer : si Lorenz
Harz disparaissait, Oscar Hammerstein II refor-
mait aussitôt avec lui, un team qu'on devait dire
« national ». Ceci avec un livret qu'il avait offert
à Kern : celui d'*Oklahoma*. Avec la musique de
Rodgers, *Oklahoma* marquait « the most profond
change of musical comedy », jusqu'à ouvrir, à la

date du 31 mars 1943, « une ère nouvelle du théâtre
musical ». D'après le *Green grow the lilacs* de Linn
Riggs, qui n'avait eu qu'une fortune sans lendemain, c'était une histoire à bons sentiments se
déroulant dans le cadre à cow-boys des territoires
indiens de l'Ouest, à la fin du siècle. Les matins y
sont plus beaux qu'autre part : « Oh ! What a
beautiful morning » — et plus candide que n'importe
où le désir de l'amour : « Out of my dream. » Bref,
ce qu'on fait de plus anodin en même temps que
de plus enlevant comme fleur bleue du ranch ou
comme marguerite effeuillée de la Prairie : avec
ses faciles mélodies à lointains échos de folklore,
voire avec ses pages émouvantes, comme les funé-
railles du vieux Joe, *Oklahoma* a une fraîcheur de
nature et de jeunesse justifiant son étourdissant
succès. Ce succès, *Carrousel* (1945), d'après le *Liliom*
de Molnar, devait le concurrencer, du moins en
Amérique où deux pages y eussent suffi : le Soli-
loquey de Billy et le duetto « If I love you ». Après
quoi, il devait encore y avoir un *Allegro* (1947),
un *South Pacific* (1949), un *King and I* (1951),
un *Me and Juliet* (1953), un *Pipe Dream* (1955)
enfin.

    2. **Cole Porter.** — Né à Péru (Indiana), en 1893,
dans une ferme à fruits, Cole Porter montre dès
l'enfance des dispositions pour l'opérette-maison.
Il a alors dix ans ; dix ans plus tard, il en écrira
une pour Broadway, *See America first*. Déçu par
l'accueil qu'on lui fait, il s'engage à la Légion
étrangère, pour être versé, en 1917, dans l'Armée
française. La victoire de 1918 le trouve à Paris,
puis à Venise et à Monte-Carlo, partout où l'on
mène la grande vie. Ce qui ne l'empêche — tous
les maîtres pouvant mener à l'opérette — de travailler avec V. d'Indy. Il est alors l'ami du Prince

de Galles, de la Princesse de Polignac et d'Elsa
Maxwell (laquelle prophétise qu'il élèvera le public
« to his own level »). Il le fait d'abord en une opérette intitulée *Paris* tout court (1928), et dont la musique va de la Cité au Ritz en passant par la Butte
chère à Louise et du Claridge aux Halles chères à
Ciboulette, encore que son vrai début, c'est avec certain *Gay Divorce* qu'il le réalise où, pendant deux
cent cinquante soirs, Fred Astaire danse un « Night
and Day » devenu éminemment « classique ». A *Gay
Divorce* succède jusqu'à *Cancan* qui, en 1953, fera
mille soirs d'affilée, une série de succès indis-
cutables : *Dubarry was a lady* (1939), *Something
for the Boys* (1943), *Kiss me Kate* (1948) enfin, qui
présente plaisamment le *Taming of the Shrew* sur
deux plans, le plan du théâtre et le plan de la réalité.
Le succès balança celui de *Cancan*, qui est dans la
nostalgie du passé, le Paris tendrement fin de
siècle, celui du Moulin-Rouge de Toulouse-Lautrec,
de la Goulue et de la Môme Pistache. Rien n'y
manque à la vérité, ni the most enamoured song « I
love Paris », ni the most exciting step « L'Apache
Danse », ni même certains couplets strip-tease
à soutien-gorge déboutonné « The garden of
Eden ».

Porter et Rodgers, Rodgers et Porter : entre ces deux pôles,
il faudrait encore situer Vernon Duke avec sa *Cabin in the
Sky* (1940), « the most sensitive picture of negro life and
psychology » ; Franck Loesser avec ses *Guys and Dolls* (1950),
« the most sinical testimony of Broadway's unterground » ;
Harold Harlen avec *Jamaïca* (1957), « the most charming
and exciting play » du genre biguine et madras ; Frédéric
(ou Fritz) Lœwe avec *My fair Lady* d'après le *Pygmalion*
de G. B. Shaw dont le try-out, le 15 mars 1956, devait constituer « one of the most legendary evening » du genre.
Mais 1957, l'année de cette *Jamaïca* était aussi celle de
West Side Story, « musical comedy of our century » par laquelle
seule *My Fair Lady* devait être dépassée.

VI. — L'outsider : Léonard Bernstein

Né à Lawrence (Massachusetts), en 1918, L. Bernstein devait devenir célèbre trois fois. Une première fois en 1933, en remplaçant au pied levé Bruno Walter à la tête de l'Orchestre Symphonique de New York. Une seconde fois en donnant en 1944 — et ceci après quelques œuvres « sérieuses » — le ballet *Fancy Free*, qui, quoique à scandale, n'était encore qu'un fort demi-succès : il alimentait un show *On the Town*. Une troisième fois enfin, et la bonne, avec *West Side Story*, à situer entre la tragédie et la farce, entre la comédie et le sketch, entre l'opéra et le ballet, ce qui le faisait échapper, mieux qu'aucune autre opérette, à la définition traditionnelle. On pourrait presque dire que ce spectacle, où les Capulets et Montaigus deviennent deux bandes, deux gangs de blousons noirs du plus bas des bas quartiers new yorkais appartient, autant qu'à L. Bernstein, à Jérome (ou Jerry) Robbins. Né en 1918, celui-ci est le « jeune turc » de la chorégraphie américaine. Il entre, en 1940, à l'American Ballet pour y devenir danseur-étoile. *Fancy Free* est de lui, et aussi *Call me Madame* et *The King and I*. Il dirige ensuite le New York City Ballet avec Balanchine et fonde les U.S.A. Ballets en 1958. *West Side Story* leur appartient par l'union étroite de la chorégraphie, de la musique et de la comédie.

« Je voudrais, disait Aaron Copland, écrire une œuvre qu'on reconnût d'emblée comme américaine. » Mais cette œuvre-là, ce n'est ni lui qui l'écrivit, ni Walter Damroch, ni John Carpenter, ni les autres ; elle est du Cole Porter de *Cancan*, du Richard Rodgers d'*Oklohama* ou du Léonard Bernstein de *West Side Story*.

Chapitre IV

LES OPÉRETTES ANGLAISES, ALLEMANDES, ITALIENNES, ESPAGNOLES, BELGES ET SUISSES

I. — L'Opérette anglaise

1. **Sir Arthur Seymour Sullivan** (1842-1900) possède deux titres à son surnom d'Offenbach britannique : *H.M.S. Pinafore or The whit lass that loved a colored sailor* (1878) et *The Mikado or The Town of Titipu*, deux opérettes qui après avoir fait la première à l'Opéra-Comique londonien, sept cents soirs, et la seconde presque autant au Savoy Theatre devaient, l'une et l'autre, atteindre la millième, la première en 1899, la seconde, trois ans plus tôt. Le succès d'ailleurs s'en étendait partout, sauf en France, où *Le Mikado* eût la route barrée par la *Kosiki* de Lecocq. Mais Sullivan devait en écrire vingt et une autres qui, comme celles-ci et à l'exception de la première et de la dernière, *Cox and Box* (1867) et *The Rose of Persia* (1899) eurent un librettiste dont l'esprit était très singulièrement accordé à sa musique : William Gilbert est l'un des dramaturges anglais qui manièrent l'humour et le burlesque avec une virtuosité qui fit de lui le précurseur de G. B. Shaw. Ainsi, entre *Pygmalion* (1871) et la *Princesse Ida* (1893), est-ce avec ce Gilbert que Sullivan donnait, en 1891 (l'année d'*Indigo*), *Thespis*, « opéra grotesque » ; en 1875 (l'année de *La Petite Mariée*), *Trial by Jury*, qui n'est que musique ; en 1877 (l'année du *Grand Mogol* et des *Cloches de Corneville*), *The Sorcereer* ; en 1881 (l'année des *Contes d'Hoffmann*), *Pacience or Burthorme's Bride*, œuvre qui, de six cents soirs, inaugurait le Savoy ; en 1898-1899, *The new Men of the Guard or the Merry Man and his maid* et *The Gondolier or the King of Barataria*, deux œuvrettes qui font pendant au *Mikado* et à *Pinafore* ; en 1896 (l'année de *La Poupée*), *The Grand Duke* ; en 1899 enfin, *The Rose of Persia or The Story Teller and the Slave* qui, en dépit de ses deux cents représentations, ne fait plus qu'un succès d'estime.

On devait donc surnommer Sullivan l'Offenbach anglais, mais c'est un Offenbach qui, au lieu de l'atmosphère Second Empire, respire celle de l'Epoque Victorienne dont il garde certain « cant » jusqu'en ses plus libres inspirations, ce qui ne déçut cependant point Debussy : de passage à Londres en 1878, il prit plaisir à *Pinafore*.

D'autre part, à l'inverse des *Contes d'Hoffmann*, c'est à son « œuvre sérieuse » que Sullivan dût d'avoir un tombeau à Saint-Paul. Cette œuvre sérieuse, et souvent ambitieuse : *Ivanhoé* (opéra), *Kenilworth* (oratio), des *Concerti*, des *Ouvertures*...

2. **Friedrich Clay.** — Celui-ci passa sinon pour un concurrent, du moins pour un prédécesseur de Sullivan. Mais c'est en Angleterre seulement que peuvent se citer encore *The Gentleman in black* (1870) et *Princess Toto* (1876).

3. **Sidney Jones.** — En celui-ci Sullivan faillit avoir un successeur. Fils d'un directeur de province, Sidney Jones se trouva célèbre du jour au lendemain par une simple chanson « Linger longer lou », et c'est presque universellement qu'il le devint, en 1896, avec certaine *Geisha* qui est à la fois, en son ambiance orientale, mais en douceâtre ou en décoloré, *Le Mikado* et *Madame Chrysanthème*. Paris ne pouvait que l'accueillir : elle le reçut deux fois, à l'Athénée en 1898 et à la Gaîté en 1920, encore qu'en 1920 son attraction majeure se trouva singulièrement dépassée : celle des girls dont *La Geisha* marqua la trépidante invasion continentale.

Deux autres œuvres de Sydney Jones : *San Toy* (1899) et *The happy Days* (1916).

4. **Lyonel Monckton.** — Londonien de naissance, celui-ci devait marquer son nom de deux opérettes qui, l'une et l'autre, devaient faire carrière française : *Country Girls* à l'Olympia, en 1904, et *Quaker's Girls*, en 1910, au Châtelet : Paris fut alors sur le point d'adopter « A bad boy and a good girl », duo qui avait été bissé trois cent cinquante fois au Royal Adelphi de Londres. Un lustre plus tôt, Monckton avait donné au Moulin-Rouge *Le Toréador*, une opérette à ce point « désopilante » que la Scala la reprenait en 1914. Elle avait été écrite en collaboration avec Yvan Caryll.

5. **Yvan Caryll.** — Né à Liège sous le nom de Félix Tilkin, c'est à New York qu'Yvan Caryll devait mourir en 1921. New York était d'ailleurs la ville de ses débuts : il y avait pu imposer, en 1890, une version « tripatouillée » de *L'Etoile* devenue *The Merry Monarch*. Mais c'est à Londres, entre la Gaiety et l'Adelphi, entre 1903 et 1909, qu'il devait s'assurer ses meilleurs succès avec *The Duchess of Dantzig*, *The Earl*

and the Girl et *Our Miss Gibbs,* celle-ci avec Monckton. Ce qui ne l'empêchait de figurer deux fois à l'affiche des Bouffes avec *S.A.R.,* d'après *Le Prince Consort* de Xanroff et avec *La Dame en Rose.* Mais ce musicien belge, américain ou anglais était aussi parisien au point d'avoir collaboré avec Sacha Guitry et Tristan Bernard.

6. **Leslie Stuart.** — Une seule œuvre à l'actif de cet auteur : *Floridora* (Londres, New York, Paris), où l'on dansait un « cake walk idéal et authentique ». Pour mémoire : *The Silver Slipper* (1901), *The School Girl* (1903), *The Bell of my Fair* (1906), *Havana* (1908), *Peggy* (1911).

En 1911, la guerre est proche. Les Français des années sombres avaient eu, à l'instant où elle s'effaçait, l'increvable *Phi-Phi* ; les Anglais de 1917 devaient avoir un *Chu Chin Chow* par lequel Frédéric Norton ne fut pas loin de battre Christiné.

7. **George Posford.** — Celui-ci est le maître incontesté de l'opérette au commencement du siècle, et un petit-maître authentiquement anglais (il était né à Folkestone, en 1906), encore que ses deux succès internationaux, il les dût partager avec un compositeur tchécoslovaque de cinq ans son aîné et qui, après avoir été chef d'orchestre à l'An der Wien entre 1935 et 1938, devait l'être à l'His Majesty Theatre, de 1942 à 1945. Son nom : Bernard Grün. Les titres de ces deux succès : *Balalaïka* (1936) et *Magjar Melody* (1939). Ce qui n'empêche que chacun d'eux devait en écrire au moins deux autres. B. Grün, *Cancan* et *Old Chelsea* ; G. Posford, *Masquerade* et *Zip goes a million.* Une date de l'opérette anglaise que *Balalaïka* à l'Adelphi (22 décembre 1936), et presque une petite, celle de 1938, où elle se parisianisa à Mogador. C'est une œuvre qui joint en une inspiration nostalgique, les derniers jours de la sainte Russie avec les nuits blanches des Iles, et les premières années d'exil des Russes blancs avec les nuits folles de Pigalle : « Que la vie était belle au temps des balalaïkas ; mais que c'est loin tout cela... »

Il convient d'ajouter que dès 1917, le *Chu Chin Chow,* plus haut cité, était concurrencé par *The Maid of the Mountains* de H. Fraser-Simson, de qui quatre autres opérettes devaient s'imposer jusqu'en 1925 (deux sont de 1924 : *Our Nell* et *Street Singer*), et que cinq ans plus tard, en 1929, Vivian Ellis donnait *Mr. Sinders,* en collaboration avec Richard Myers ; puis, sans collaboration, *Gill Darling* (1934), *Big Ben* (1946) et *Bless the Bride* (1947).

8. Noël Coward et Ivor Novello. — C'est en 1927 que débutait
Noël Coward avec *Bitter Sweet* ; c'est, en 1935, qu'Ivor
Novello débutait avec *Glamorous Night*. Novello et Coward,
« composer and producer » le premier ; « actor, composer and
playwright » le second : deux petits-maîtres qui vont être,
à eux deux, l'opérette anglaise contemporaine. Mais pour
celui-ci, comment ne citer G. Mac Dowell ? « Noël Coward,
dit-il, prépare to act, sign, dance, compose music, write
lyrics, stage manage, produce and turn out one comedy per
fornight separately in pairs or all at once. » On doit à Igor
Novello *Careless Rapture* (1936), *Crest of the Wawe* (1937),
The Dancing Years (1939), *Arc de Triomphe* (1943), *Perchance
to Dream* (1945) et *King's Rhapsody*. On doit à Noël Coward
Pacific 1860 (1946) et *After the ball* (1954). On en passe une
datant de 1938 et qui s'appelle *Opérette* tout simplement,
ce qui pourrait donner le mot ou le titre de la fin. Il n'en faut
pas moins, de la dernière décade, citer encore Harry Parr-
Devies, auteur de *Dear Miss Phœbé* (1950) ; Judy Martin,
auteur de *Love from Judy* (1952) ; Julian Slade, auteur de
Salad Days (1954) ; James Gilbert, auteur de *Grab me a
gondola* (1956) ; Sandy Wilson, auteur de *Valmouth* (1958).
Et le tout dernier, Laurie Johnson, auteur de *Look up your
daughters*. Sa date : 28 mai 1959.

Nous avions pour l'opérette française pu consacrer un
paragraphe à l'opérette des musiciens. Au paragraphe de
l'opérette des musiciens anglais, deux noms suffisent. L'un du
passé : J. C. Pepusch, auteur du *Beggar's Opera*. L'autre du
présent : Benjamin Britten. Le maître de ce *Rapt of Lucretia*
et de *Peter Grimes* qui sont en quelque mesure et par quelques
mesures des opérettes, est, lui aussi, l'auteur d'un *Beggar's
Opera* (1948) et d'un *Albert Herring* (1949) d'après *Le Rosier
de Mme Husson*, de Maupassant.

II. — L'Opérette allemande

L'Allemagne peut, certes, faire valoir de nombreuses
opérettes avant la lettre : n'avons-nous cité, dès les premières
pages de ce livre, *Der Schauspieldirektor*, de Mozart ? Mais
du même on pourrait y joindre, d'après le français, *Bastien
und Bastienne* et, en italien, *L'Oca del Cairo*. Puis à la suite,
le *Neu krumme Teufel* par lequel Haydn débuta, et la *Mundo*

della Luna comme l'*Apotheker* avec lesquels il s'amusa en amusant les autres. Puis encore, ajoutant un docteur à l'apothicaire, le *Doctor und Apotheker*, de Karl Ditters von Dittersdorf, et le *Vogelhändler* de Zeller, et les *Dorfbarbier(en)* de Neef, de Schenk, de Seidel. Enfin les innombrables opérettes qui, mieux que les autres, disent le nom de Wenzel Müller : *Das Bergfest, Brüder Lustig, Der œstereiche Grenadier*, etc.

Pour les opérettistes de notre temps, il faut avant tout considérer qu'un grand nombre de ces musiciens allemands font partie de l'Ecole Viennoise. L'exception majeure : Max Winterfeld, qui signa Jean Gilbert.

1. **Jean Gilbert** naît à Hambourg, en 1879, mais ne prend que le temps d'y débuter, à quinze ans, comme pianiste ; dès cet âge-là, il se lance dans cette existence vagabonde où l'on s'essouffle à le suivre : suit-on le Cirque Hagenbeck où il est un instant chef de musique ? Mais avant ou après, il est à Eberfeld, à Essen, à Dusseldorf, au Danemark et en Italie. 1927 le voit à Broadway ; 1933, à Vienne. Mais 1933 est l'année où il décide de quitter l'Allemagne. C'est à Londres et à Barcelone qu'on le retrouve, puis en 1939 à Paris, et en 1940, à Buenos Aires où il se voit décerner le Grand Prix de Musique argentine pour sa *Chasta Suzanna* laquelle n'est autre que cette *Keusche Suzanne* qui, en 1910, à Magdebourg, lui avait valu une sérieuse avance sur la gloire. Son sujet relève du vaudeville parisien (à noter qu'une *Chaste Suzanne*, de Beissier et Cieutat avait déjà été donnée... en 1894 !). Mais la musique est de celles qui ignorent parfaitement les frontières avec une de ces valses d'avance universelles.

Bien entendu, Jean Gilbert ne s'en tint pas à cette *Suzanne*. Entre *Der Prinz Regent* (1903) à Berlin et *Die Dame mit dem Regenbogen* (1933) à Vienne, il faut au moins citer *Die Kinokönigin* (1913), *Die Tangoprinzessin* (1913), *Wenn die Frühling kommt* (1914), *Arizonda* (1916), *Katja die Tanzerin* (1923), *Eine Nacht in Kairo* (1928) et cent mélodies dont une douzaine sont ou furent sur toutes les lèvres germaniques, de « Püpchen du bist mein Augenstern » jusqu'à « In der Nacht wenn die Liebe erwacht ».

J. Gilbert eut un fils, Robert, qui ne pouvait faire moins que d'écrire des opérettes comme musicien (la meilleure : *Die leichte Isabell*), encore qu'il soit surtout connu comme librettiste. Il est soixante livrets de lui. Le meilleur : *Am weissen Röss'l*.

2. **Paul Linke.** — De celui-ci, entre *Frau Luna*, *Lysistrata* et *Grigri*, c'est *Berliner Lüft* qu'il convient de choisir, pour certaine tendance à un folklore berlinois.

3. **Walter Kollo.** — D'esprit berlinois comme Linke, devait
d'affirmer dans *Wie einst im Mai* (1913), *Drei alte Schach-
teln* (1918) et *Jettchen Gebert*. Il est aussi l'homme d'une chanson célèbre : « Das war in Schöneberg im Monat Mai. »

4. **Will Meisel.** — Berlinois lui aussi est, lui aussi, l'auteur de
trois opérettes : *Zehn Minuten Glück* (1932), *Die Frau in
Spiegel* (1934) et *Mein Herz fur Silvia* (1942).

5. **Werner Heymann** ne fit que naître à Kœnigsberg. Berlin,
Paris, Hollywood l'accueillirent comme musicien de films, type.
Le Congrès s'amuse. Ainsi n'aurait-il place ici s'il n'avait écrit
avec le plus parisien des librettistes, Sacha Guitry, une opérette
qui serait la plus parisienne si elle n'était monégasque : *Florestan Ier, Prince de Monaco* (Théâtre des Variétés, 1935).

Enfin « opérettes de musiciens », de musiciens allemands
sont celles de Paul Hindemith : *Hin und Zurück* (1927) et
Neues von Tage (1929) ; celle, syncopée, d'Ernst Krenek :
Jonny spielt auf (1927) ; celle de Kurt Weill : *Die Dreigro-
schenoper* (1928) ; celle de Jaromir Weinberger que *Schwanda
der Dudelsakpfeifer* n'empêcha point d'écrire, *Frühling-
sturme* (1934).

III. — L'Opérette italienne

Il n'est aucun des trois grands musiciens véristes populaires
du début de ce siècle qui n'ait, au moins une fois, cédé à
l'opérette : Mascagni avec *Si* (1919) ; Puccini avec au choix,
La Rondina (1917) ou *Gianni Schicchi* (1918) ; Leoncavallo
enfin avec *Malbruk* (1910), *La Réginetta delle Rose* (1912),
La Candidata (1915), la *Presta mi tua moglie* (1915) et même
une opérette anglaise jouée à Londres, *Are-you there ?* (1913).
Enfin, c'est une opérette qui fut son dernier ouvrage, l'ina-
chevée *Machera nuda*.

Mais c'est là commencer par les opérettes des musiciens,
et c'est encore y rester en citant ces deux ancêtres, les Napoli-
tains frères Ricci : Luigi (1805-1859) et Frédérico (1809-1877).
Du premier, une opérette qui tint longtemps la scène en Italie :
Crispino e la Comare (1850) ; du second, deux opérettes mieux
caractérisées qui, en 1872 et à cinq jours d'intervalle l'une de
l'autre devaient s'installer aux Bouffes et à l'Athénée : *Le
Docteur Rose* et *Une Fête à Venise*.

Constatons cependant que les musiciens d'opérette sont peu
nombreux dans la Péninsule. De 1860 à 1890, à peine en
peut-on citer trois : M. Costa, auteur de *Il Re di chez Maxim'* ;

A. Cussina, auteur de *Senterello* ; E. Carabella, auteur de *Don Gil dalle calze verdi*. A eux trois cependant, ils ne valent Guiseppe Pietri, l'homme qui en cinq opérettes au moins — *Addio, giovinezza* (1915), *La Donna perduta* (1923), *Rampicollo* (1928), *Casa mia* (1930) et *Vent'anni* (1932) — tenta, non sans succès, la fusion de certain charme danubien et de certain lyrisme italianissime. Son nom cependant ne dépassa pas ses frontières. Celui d'Enrico Toselli fut presque universel. Plus, bien plus à cause de sa *Sérénade* qu'à cause de sa *Principeza bizarra*, opérette (1913).

IV. — L'Opérette espagnole

La musique espagnole n'est pas loin d'ignorer le mot opérette ; elle ne connaît que le mot « zarzuela ».

Une « zarzuela », est-ce une opérette ou un opéra-comique ? C'est l'un ou l'autre, l'un et l'autre. Et comme telle, elle a deux maîtres : Chueca et Valverde. Encore que l'œuvre du premier *(Cadix, El Chaleo blanco)* et celle de Valverde *(El Fondo del Baul, La Estatua de Don Gonzalo)* cèdent devant celle de Ruperto Chapi y Lorente, auteur d'au moins cent soixante zarzuele *(La Bruja, La Revoltosa, La Tempestad)* et, du moins par le nombre, à celles d'Arietta y Corera : *A cadena perpetua, El Domino azul, La Guerra a murta*.

Nous avons cité quatre noms. En voici quatre autres : E. Serrano *(La Carta de Pepe)*, M. Caballero *(La Calve et Gigantes y Cabezudos)*, Tomas Breton *(La Verbena de la Paloma)*, José Padilla enfin à qui il a suffi de trois chansons pour se voir attribuer une rue en sa Valence natale : *Violettera, El Relicario* et *Valencia*. Mais il est aussi l'auteur d'une opérette qui aura eu deux titres : *Romance au Portugal* et *Symphonie portugaise* (Gaîté-Lyrique, 1949) et qui est de là-bas sans fados — mais avec sambas.

Les Portugais sont toujours gais : Lecocq l'affirme dans *Le Jour et la Nuit*. Le sont-ils au point d'avoir une opérette à eux ? Deux noms répondent : Portogallo avec *Castanheira* et Freitas Gazul avec *O centro e tres*.

V. — L'Opérette belge

La Belgique pourrait fort bien se contenter d'Yvan Caryll ; mais se souvient-elle que, sous le nom de Tilman, il naquit Liégeois ? D'ailleurs, il est vrai qu'elle compte chez elle un tout

petit maître qui, à l'exemple de Fonson et Wicheler, mérita
de passer ses frontières. C'est avec les deux pères de Mlle
Beulemans qu'Arthur van Oost écrivit *Beulemans marie sa
fille* (1912) après avoir fait tourner et chanter avec eux *Les
Moulins qui chantent* (1911) dans une poésie carte postale de
Zélande à coiffes, pantalons bouffants, pipes en terre... et
moulins.

A van Oost, il convient de joindre Hippolyte Akermans et
Max Alexys, pseudonyme de Max Hautier. Deux opérettes
du premier : *Le Charme étrange* (1917) et *Le Paysan Roi* (1918).
Trois du second : *L'Œillet blanc* (1920), *Le Roi du Cirque* (1937)
et *Le Lac d'amour*.

VI. — L'Opérette suisse

La Suisse alémanique a au moins deux opérettistes patentés :
Paul Burkhard (à ne pas confondre avec le grand Willy
Burkhardt) est l'auteur de *Hopsa* (1935), de *Dreimal George*
(1936) et de *Tic-Tac* (1946), tandis que Victor Reinshagen,
avec un art de niveau moins élevé, est celui de *Grete im
Glück* (1936) et de *Tanz um Daisy* (1938) et que Alexandre
Krannhals est, en parodiste du *Trouvère*, l'auteur du
Férien im Tessin, ce qui met la Suisse italienne dans le jeu.

La Suisse romande de son côté pourrait se réclamer d'un
ancêtre en l'Emile Jaques-Dalcroze de *Riquet à la Houppe*
(1883). Plus près de nous, entre 1910 et 1927, Charles Haenny
devait donner une demi-douzaine d'opérettes, dont le *Carnaval
de Savièse* (1910) et *Le Charlatan du Val d'Illiez* (1927) ;
enfin, plus près de nous encore, le Genevois Amy Châtelain
devait, d'une plume légère, faire chanter *Le Prince de Montmartre* et briller *Cœurs au Soleil* (1938).

En Helvétie comme ailleurs, la distinction opérette, opéra
bouffe et opéra-comique est souvent plus que malaisée. Ainsi
donnera-t-on le titre qui convient à la *Marion* de Pierre
Wissmer, à la *Séraphine oder die stumme Apothekerin* de
Suttermeister, au *Monsieur Jabot* de Roger Vuataz et à la
Geneviève (livret de J. B.) d'Aloys Fornerod.

Tout ceci recensé, ce dernier petit chapitre pourrait tenir
en deux noms combien différents ! En celui d'A. Honegger,
musicien alémanique, auteur du *Roi Pausole*, et en celui
d'H. Christiné, musicien romand, auteur de *Dédé*... et de
quelques autres « petites opérettes ».

BIBLIOGRAPHIE SOMMAIRE

a) *Générale*

C. Preiss, *Beitrage zur Geschichte der Operette* (1908).

A. Neisser, *Von Wesen und Wart der Operette* (1923).

L. Melitz, *Führer durch die Operetten* (1938).

A. M. Rabenalt, *Operette als Aufgabe* (1948).

b) *Particulière*

L. Schneider, *Les Maîtres de l'Opérette française, Offenbach* (1923).

R. Brancour, *Offenbach* (1929).

S. Kracauer, *J. Offenbach ou Le secret du Second Empire* (1937).

J. Brindejont Offenbach, *Offenbach, mon grand-père* (1940).

L. Schneider, *Les Maîtres de l'Opérette : Hervé et Charles Lecocq* (1924).

M. Augé Laribé, *Messager, musicien de théâtre* (1951).

G. Knosp, *Lehar. Une vie d'artiste* (1943).

TABLE DES MATIÈRES

1962. — Imprimerie des Presses Universitaires de France. — Vendôme (France)

ÉDIT. N° 26 720   IMPRIMÉ EN FRANCE   IMP. N° 17 259

TABLE ANALYTIQUE DE LA COLLECTION « QUE SAIS-JE ? »

•

LITTÉRATURE

LITTÉRATURE

BEAUX-ARTS

— 2 —

— 3 —

SCIENCE ÉCONOMIQUE

SCIENCE ÉCONOMIQUE

QUESTIONS SOCIALES